UN NOSON DYWYLL

Un Noson Dywyll

T. LLEW JONES

Gomer

Argraffiad cyntaf – 1973

Argraffiad newydd – 2015

www.gomer.co.uk

ISBN: 978 1 84851 945 9
ISBN (EPub): 978 1 84851 946 6
ISBN (Kindle): 978 1 84851 947 3

Cyhoeddwyd gyda gydnabod cymorth ariannol Cyngor Llyfrau Cymru.

Argraffwyd a rhwymwyd yng Nghymru gan
Wasg Gomer, Llandysul, Ceredigion SA44 4JL

Rhagair

Pan oeddwn i'n saith oed ac yn ddisgybl yn ysgol Capel Mair, sir Gaerfyrddin (sydd wedi'i chau erbyn hyn), fe gefais i fynd ryw brynhawn dydd Gwener i mewn i stafell y 'Mishtir' o ddosbarth y plant lleiaf, i wrando ar yr ysgolfeistr yn darllen stori.

Dim ond y bennod gyntaf o'r stori honno a glywais i, gan na chefais, am ryw reswm, fynd yno'r prynhawn Gwener canlynol i glywed rhagor. Ond fe gafodd y bennod gyntaf, gyffrous honno argraff barhaol arnaf. Roedd hi'n sôn am ddyn ar gefn ceffyl yn dod ar noson dywyll, stormus at un o'r tollbyrth oedd mor niferus ar ffyrdd Cymru gynt, ac yn gadael baban bach yng ngofal ceidwad y tollborth ac yna'n diflannu i'r nos.

Am hanner can mlynedd fe fûm i'n ceisio dyfalu beth ddigwyddodd i'r baban bach hwnnw, a beth oedd diwedd yr helynt. Holais athrawon a llyfrgellwyr a phobl wybodus fel'na, a wydden nhw pwy oedd yr awdur, a beth oedd enw'r stori oedd yn cychwyn fel yna. Doedd neb yn gwybod.

Felly, fe benderfynais fy mod i'n mynd ymlaen â'r stori fy hunan. A dyna a wneuthum. Erbyn hyn, ar ôl digwydd cwrdd â'm hen ysgolfeistr mewn cinio yn Aberystwyth dro'n ôl, fe wn mai Anthropos oedd awdur y stori a'm cyffrôdd cymaint pan yn blentyn. Carwn, felly, gydnabod fy nyled iddo am y symbyliad cychwynnol a esgorodd – hanner canrif yn ddiweddarach – ar y nofel hon!

Tŷ'r Ysgol, Coed-y-bryn
T. Llew Jones
Tachwedd 1973

Pennod 1

Cyn bod trên na bws na char i gludo pobl o le i le, a chyn bod trydan i oleuo'r tai a'r strydoedd a'r ffyrdd . . . yn y dyddiau hynny, flynyddoedd lawer yn ôl, roedd clwydi neu gatiau mawr ar draws y ffyrdd ym mhobman, a byddai raid i deithwyr ar gefn ceffylau neu mewn cerbyd neu gert dalu am fynd trwyddyn nhw. Tollbyrth oedd yr enw ar y gatiau hyn, ond mewn rhai rhannau o'r wlad gatiau tyrpeg oedd yr enw arnyn nhw, o'r enw Saesneg *'turnpike gates'*.

* * *

Un noson dywyll, stormus yn y gaeaf, roedd Tomos Wiliam, ceidwad tollborth Pont-y-glyn, yn sir Benfro, yn pendwmpian wrth y tân. Dyn byr, llydan, a barf ddu, drwchus yn cuddio mwy na hanner ei wyneb, oedd e.

Roedd hi wedi mynd yn hwyr a'r tân wedi llosgi'n isel, ac roedd ceidwad y tollborth ar fin mynd i'w wely, gan gredu na fyddai'r un teithiwr arall yn gofyn am fynd trwy'r glwyd ar y fath noson stormus. Roedd coets y post wedi mynd trwodd ers awr a rhagor ac roedd e'n gwybod na fyddai coets Hwlffordd yn dod tan chwech o'r gloch fore trannoeth. Eisteddodd yno am dipyn wedyn yn gwrando ar sŵn y gwynt yn y coed mawr o gwmpas ei fwthyn. Oedd, roedd hi'n noson ofnadwy, gyda mellt a tharanau, a'r glaw yn pistyllu i lawr yn ddidrugaredd. Dechreuodd Tomos Wiliam chwalu meddyliau. Doedd e ddim yn hoffi'r gwaith o ofalu am y tollborth. Ddwy flynedd yn ôl roedd wedi claddu ei wraig a nawr dim ond fe a'i ferch, Gwen, oedd yn byw yn y bwthyn bach ar fin y ffordd fawr. Roedd Gwen yn ddwy ar bymtheg oed ac yn tyfu'n ferch hardd fel ei mam. Allai Tomos Wiliam ddim meddwl beth fyddai'n gwneud hebddi, oherwydd roedd hi'n gwmni ac yn gysur mawr iddo. Ond er bod ganddo'i ferch yn gwmni, roedd e'n teimlo'n unig iawn weithiau. Prin iawn oedd cyfeillion ceidwad y tollborth, meddyliodd. Roedd pawb, bron, yn teimlo'n ddig wrtho am ei fod yn gwneud iddyn nhw dalu am fynd trwy'r gât. Yn wir, roedd pobl y wlad yn teimlo'n chwerw iawn tuag at yr holl dollbyrth oedd ar hyd yr heolydd, gan na allen nhw fforddio talu'r tollau trwm o hyd ac o hyd. Roedd cymaint o dlodi yn y wlad yn y blynyddoedd hynny fel bod rhaid edrych yn llygad pob ceiniog goch.

Neidiodd fflam sydyn yn y grat a diffodd wedyn, gan adael dim ond marwor coch. Cododd Tomos Wiliam ar ei draed, a rhwbiodd ei lygaid. Roedd ar fin diffodd y golau a throi i'r 'cae nos', pan glywodd sŵn carnau ceffyl ar y ffordd y tu allan, ac yna gwaedd fawr uwchlaw sŵn y storm.

'*Gate*!'

Cydiodd yn y lantarn oddi ar y bwrdd. Roedd y gannwyll dew ynddi wedi llosgi i'r gwaelod, bron. Doedd dim amser i roi cannwyll newydd ynddi, meddyliodd. Yna dyma'r llais o'r tu allan yn gweiddi eto, '*Gate*!' – yn fwy diamynedd y tro hwn.

'Pwy all fod am fynd trwodd ar y fath noson, dwedwch?' meddai wrtho'i hun. 'A beth yw'r brys sy arno?' Taflodd hen got dros ei war ac agorodd y drws i fynd allan. Cyn gynted ag y rhoddodd gam dros y trothwy daeth pwff sydyn o wynt a diffodd y gannwyll yn y lantarn.

'Paid poeni am y golau, does dim o'i angen e!' gwaeddodd llais o'r tywyllwch. Aeth Tomos Wiliam allan i'r ffordd a chydiodd y gwynt yn ei hen got a bron â'i chipio oddi ar ei ysgwyddau.

Aeth yn nes at y marchog. Doedd e ddim yn ddyn ofnus fel arfer ond roedd ei galon yn curo dipyn bach yn gyflymach, oherwydd roedd e'n gwybod cystal â neb fod yna bob math o ddihirod yn teithio'r ffordd fawr yn hwyr y nos. Yn yr ychydig bach o olau oedd yn dod trwy ffenest fechan ei fwthyn gallai weld siâp ceffyl mawr a dyn mewn clogyn tywyll yn eistedd arno.

'Mi agora i'r glwyd, syr . . .' meddai Tomos Wiliam. 'Na, aros!' gwaeddodd y marchog. Safodd Tomos Wiliam yn stond ar ganol y ffordd gan ddal ei anadl. Nawr roedd yn ofni'r gwaethaf. Cydiodd yn dynnach yn y lantarn yn ei law, gan feddwl ei defnyddio fel arf pe bai angen. 'Oes rhywun wedi mynd trwy'r glwyd yma yn ystod yr hanner awr ddiwethaf?' gofynnodd y dyn ar gefn y ceffyl mawr. Sylwodd Tomos Wiliam ei fod yn siarad ag acen ddieithr. Pwy alle fe fod?

'Nagoes, syr,' meddai Tomos Wiliam, 'does neb wedi mynd trwodd, ond coets y post, ers yn agos i ddwy awr, a does dim rhyfedd – ar y fath noson.'

Plygodd y marchog dros war ei geffyl.

'Wyt ti'n siŵr? Falle dy fod ti'n cysgu? Roedd rhaid i mi weiddi ddwywaith cyn i ti 'nghlywed i.'

'Mae'n noson stormus, syr, ac mae'r gwynt yn ceisio boddi pob llais ond 'i lais 'i hunan heno. Ond coeliwch chi fi, syr, does neb wedi mynd trwy'r tollborth heb yn wybod i mi.'

'Rwy'n dy gredu di. Rwyt ti'n swnio'n ddyn gonest,' meddai'r marchog.

'Diolch, syr,' meddai Tomos Wiliam, gan synnu braidd at ei eiriau. 'Mi agora i'r glwyd i chi gael mynd ar eich taith. Gobeithio nad oes taith bell o'ch blaen ar y fath noson.'

'Na, aros!'

Unwaith eto teimlodd Tomos Wiliam ryw ias yn ei gerdded. Pwy oedd y dyn yma oedd wedi gweiddi *'Gate'* mor ddiamynedd? Doedd dim brys arno nawr i fynd trwodd.

'Ie, syr?' gofynnodd.

'Rwy i mewn tipyn o berygl,' meddai'r marchog, 'ac fe hoffwn i ti wneud cymwynas â fi . . .'

'Cymwynas, syr? Ond . . .'

Ar y foment honno fflachiodd mellten ar draws yr awyr, ac am eiliad gwelodd Tomos Wiliam y marchog dieithr yn glir. Dyn ifanc oedd e a'i wyneb fel y galchen o wyn dan ei het ddu, a oedd yn dripian glaw. Yna roedd y tywyllwch wedi syrthio rhyngddyn nhw eto.

'Rwy'n gwybod nad oes hawl gan ddieithryn fel fi ofyn i ti wneud cymwynas â mi. Ond nid fi yn unig sy mewn perygl heno . . . mae 'na eraill hefyd yn dibynnu arna i – dyna pam rwy'n gofyn.'

'Wel, syr . . . y . . . os galla i wneud rhywbeth i'ch helpu chi, ond rwy'n methu'n lân â gweld sut . . .'

'Does 'na ddim amser i egluro dim byd. Cymer hwn, os gweli di'n dda.'

'Beth? Y . . .' dechreuodd Tomos Wiliam.

Yr eiliad nesaf roedd y marchog wedi plygu dros y cyfrwy a rhoi bwndel o rywbeth yn ei freichiau.

'Cer â hwnna i'r tŷ, os gweli di'n dda. Fe wna inne ddod i mewn – os caf fi – cyn gynted ag y bydda i wedi clymu'r ceffyl 'ma.'

Safodd Tomos Wiliam yn stond ar ganol y ffordd. Beth oedd yn y bwndel yn ei freichiau? Rhywbeth wedi'i lapio mewn blanced neu glogyn o ryw fath! A oedd hi'n ddiogel i adael i'r dyn ifanc yma ddod i mewn i'r bwthyn?

'Ble alla i glymu'r ceffyl?' gofynnodd y dyn ifanc. 'Y . . . lawr gyda thalcen y tŷ . . . mae peth cysgod fan'na.'

Disgynnodd y dyn oddi ar gefn y ceffyl ac arweiniodd e heibio i dalcen y bwthyn.

Aeth Tomos Wiliam i'r tŷ gan deimlo'n gynhyrfus iawn, achos erbyn hyn roedd ganddo syniad go lew beth oedd yn y bwndel yn ei gôl. Pan ddaeth i mewn i'r gegin ac i olau'r lamp olew, gosododd y bwndel ar y sgiw yn ymyl y tân. Yna tynnodd y garthen wlân brydferth 'nôl a daeth wyneb plentyn – baban bach tua dwy oed neu lai – i'r golwg. Roedd e'n cysgu'n dawel. Daeth hanner gwên fach dros wyneb Tomos Wiliam. Doedd e erioed wedi edrych ar wyneb plentyn mor dlws. Roedd ei ben yn gyrliog a'i groen fel petalau rhosyn. Ac roedd y tamaid wedi cysgu – ac yn dal i gysgu – ar waetha'r storm a'r carlamu drwy'r nos ar gefn ceffyl!

Edrychodd Tomos Wiliam eto ar y garthen drwchus oedd amdano, ac ar ddillad y plentyn ei hun. Roedden nhw o'r defnydd gorau, a sylweddolodd nad plentyn pobl gyffredin oedd hwn.

Yna clywodd sŵn traed yn dod at y tŷ, a cherddodd y dyn ifanc a'r clogyn du i mewn.

Nawr cafodd Tomos Wiliam gyfle i'w weld yn iawn. Roedd e'n dal a golygus, a doedd e ddim mwy na rhyw un ar hugain ar y mwyaf, meddyliodd. Ond roedd golwg oer ar ei wyneb gwelw.

Aeth Tomos Wiliam i gornel y lle tân a chydiodd mewn dau bren sych o'r pentwr bychan oedd yno, a thaflodd nhw ar y tân. Tasgodd gwreichion o'r lludw a chyn pen winc dringodd fflamau i lyfu rhisgl sych y ddau bren.

Taflodd y dyn ifanc y clogyn gwlyb oddi ar ei ysgwyddau a cherddodd at y tân. Cyrcydodd o'i flaen gan estyn ei ddwylo at y gwres.

'Mae'n ddrwg gen i eich poeni fel hyn . . . y . . . dwi ddim yn gwybod eich enw chi.'

Sylwodd Tomos Wiliam fod y 'ti' a ddefnyddiodd y tu allan wedi mynd yn 'chi' nawr.

'Y . . . Tomos Wiliam,' meddai. 'Mae'r plentyn bach yn cysgu'n braf – diolch am hynny. Dwi ddim am holi dim o'ch busnes chi, syr, ond dyw heno ddim yn noson y dylai plentyn mor fach â hwn fod yn teithio ar gefn ceffyl. Ond os alla i fod o unrhyw help i chi . . .'

Dyma'r dieithryn yn troi'n gyflym oddi wrth y tân a sefyll ar ei draed.

'Ydych chi . . . ydych chi'n fodlon i'r plentyn aros 'ma heno?'

Gwelodd Tomos Wiliam yr olwg ofidus yn ei lygaid. 'Wrth gwrs,' meddai, ar ôl meddwl am ychydig. 'Dyw hi ddim yn noson i bobl mewn oed fod allan heno, heb sôn am yr un bach 'ma. Ac fe gewch chithe aros 'ma hefyd ar bob cyfri. Ond . . . y . . . dwi ddim yn siŵr . . .' Stopiodd Tomos Wiliam.

'Ie?' gofynnodd y dieithryn.

'Wel, y ceffyl, syr. Does gen i ddim lle i roi'r creadur, ac fe allai 'i adel e tu allan yn y glaw fod yn ddigon am 'i fywyd e.'

'Ry'ch chi'n iawn, Tomos Wiliam. Oes yna ryw hen feudy neu stabl – neu rywle lle gall e fod o dan do?'

'Wel, mae 'na hen feudy gwag, fel mae'n digwydd, i lawr wrth Bont-y-glyn; hen feudy sy'n cael 'i ddefnyddio i gadw gwair yn unig erbyn hyn. Mae e'n hen le digon diddos am wn i, ond dyn dierth y'ch chi – ddowch chi byth o hyd i'r lle yn y tywyllwch.'

Roedd yna ddistawrwydd rhyngddyn nhw am funud, a'r dyn dieithr yn edrych yn feddylgar i'r tân. Yna dywedodd Tomos Wiliam, 'Fe wn i beth wnawn ni – fe ddihuna i Gwen, fy merch; fe fydd rhaid ei dihuno hi beth bynnag os yw'r plentyn i aros 'ma heno, achos gyda Gwen y bydd rhaid iddo gysgu. Dim ond dau wely sy 'ma. Ac fe all Gwen edrych ar ôl y glwyd a'r plentyn tra byddwn ni'n mynd i roi'r ceffyl dan do.'

'Na! Na! Rhaid i chi beidio dihuno'ch merch.'

‘O, mae Gwen yn gyfarwydd â chael ’i dihuno yn nyfnder nos weithie. Mae ’na bobol yn gweiddi arnon ni i godi yn orie mân y bore ambell waith. Dyna fel mae arnon ni sy’n edrych ar ôl y tollbyrth. Esgusodwch fi, syr.’

Aeth trwy’r drws i ran arall o’r tŷ lle roedd stafell wely ei ferch.

Pan ddaeth ’nôl roedd y dyn dieithr wedi ailwisgo’i glogyn gwlyb, ac yn sefyll yn edrych i lawr ar y plentyn a oedd yn cysgu ar y sgiw.

‘Fe fydd Gwen yma’n union – mae hi wedi dihuno.’

‘Hist!’ meddai’r dyn ifanc ar ei draws, gan droi ei ben yn wyllt i wrando.

‘Be sy’n bod?’ gofynnodd Tomos Wiliam.

‘Glywoch chi sŵn carnau ceffylau?’

‘Naddo fi, syr.’

‘Gwrandewch! Dyna’r sŵn! Chi’n ei glywed e?’

Gwenodd Tomos Wiliam. ‘Ydw, syr, ac ry’n ni’n gyfarwydd â’r sŵn yna ar noson fel heno. Sŵn y gwynt yn ysgwyd y glwyd yw e.’

Ar y gair cerddodd Gwen Wiliam i mewn i’r stafell a channwyll ynghynn yn ei llaw. Am foment edrychodd ar y dieithryn ac edrychodd yntau arni hithau.

Roedd hi wedi gwisgo mantell gynnes dros ei gwn nos, ond doedd hi ddim wedi cael amser i glymu ei gwallt, ac roedd hwnnw nawr yn disgyn yn donnau du, gloyw dros ei hysgwyddau.

Ar ôl edrych ar y dieithryn, syrthiodd ei llygaid ar y plentyn ar y sgiw. Yn sydyn aeth ato a'i godi'n dyner yn ei breichiau.

'Fe gaiff e fynd i 'ngwely i, 'Nhad,' meddai, ac aeth ag e allan o'r stafell.

'Dyna ni,' meddai Tomos Wiliam, 'fe fydd e'n ddigon diogel gyda Gwen nes i ni ddod 'nôl.'

'Rwy i wedi achosi trafferth a ffwdan mawr i chi heno, Tomos Wiliam; ac os ca' i fyw fydda i ddim yn anghofio'ch caredigrwydd chi.'

'Os cewch chi fyw, syr! Nawr, nawr – dyn ifanc fel chi'n siarad fel'na! Dewch, gadewch i ni fynd i roi'r creadur yna dan do.'

Cydiodd ceidwad y tollborth mewn cannwyll drwchus o'r silff ben tân, ac wedi'i rhoi yn y lantarn yn lle'r tamaid oedd ar ôl ynddi, fe'i cynheuodd, a mynd am y drws.

Ond cyn iddo ei agor, cydiodd y dieithryn yn ei fraich. 'Dim golau os gwelwch chi'n dda. Rhowch y cadach 'ma i guddio'r fflam.'

Roedd Tomos Wiliam ar fin protestio, ond wedi ailfeddwl fe wnaeth fel y dywedodd y dyn ifanc.

Aethon nhw allan i'r nos ac i lawr y lôn gyda thalcen y tŷ at y ceffyl.

'Dilynwch fi,' meddai Tomos Wiliam. Arweiniodd y dyn ifanc a'i geffyl trwy'r tywyllwch i lawr tuag at Bont-y-glyn.

Roedd hi'n dda, meddyliodd Tomos Wiliam,

ei fod e'n gwybod y ffordd, oherwydd allen nhw weld dim o'u blaenau. Chwythai'r gwynt oer y glaw yn eu hwynebau, ac roedd Tomos Wiliam yn dyheu am fod yn ôl unwaith eto o flaen y tân cynnes, neu yn well fyth, yn ei wely, gan ei bod hi'n hwyr iawn erbyn hyn.

'Dyma'r beudy,' meddai o'r diwedd. Tynnodd y cadach oddi ar y lantarn. Yng ngolau'r fflam roedden nhw'n gallu gweld hen furiau llwyd y beudy, a'r drws creithiog a'r twll crwn ynddo i roi bys i godi'r glicied. Doedd dim clo arno. Aeth y ddau i mewn â'r ceffyl gyda nhw. Roedd digonedd o wair sych yno, ac yng ngolau pwl y lantarn roedden nhw'n gallu gweld llwydni ar y waliau a'r gwe pry cop yn y corneli ac ar draws y to. Ond doedd dim arwydd fod y glaw'n dod i mewn yn unman.

'Dyna ni!' meddai Tomos Wiliam. 'Fe fydd yr anifail yn iawn fan hyn tan y bore. Dewch syr, i ni gael mynd 'nôl i'r tŷ.'

Trodd y dieithryn ei ben i edrych arno. 'Na, Tomos Wiliam, well i mi beidio dod 'nôl i'r tŷ gyda chi.'

'Beth?'

Cododd y dieithryn ei law. Yna rhoddodd hi ar ysgwydd Tomos Wiliam. 'Ry'ch chi wedi bod yn garedig iawn i mi heno, ond does gyda chi ddim syniad pwy ydw i.'

'Y . . . dim, syr. Y . . . mi fuswn i'n hoffi gwybod eich enw chi . . . ond dyw hynny ddim yn bwysig

. . . cofiwch.' Tynhaodd gafael y dyn ifanc ar ei ysgwydd.

'Fe fyddai'n dda gen i allu dweud fy enw wrthych chi, Tomos Wiliam, ond er eich mwyn chi'ch hunan, gwell i chi beidio cael gwybod.'

'O, syr! Pam ry'ch chi'n siarad fel'na?'

'Well i chi beidio â gwybod fy enw rhag ofn y daw rhywun i'ch holi chi – a'ch gorfodi chi . . .'

'Wnawn ni ddim dweud, syr, wir i chi!'

'Rwy'n eich credu chi. Ond credwch chi fi – tase chi'n gwybod pwy ydw i mi fyddech chi a'ch merch mewn perygl.'

Edrychodd Tomos Wiliam yn syn arno. Beth oedd cyfrinach y dyn ifanc oedd wedi dod trwy'r storm at dollborth Pont-y-glyn a baban bach ar y cyfrwy?

'Dewch,' meddai wedyn, 'gadewch i ni fynd 'nôl i'r tŷ.'

'Na. Mae 'na elynion ar fy ôl i, Tomos Wiliam. Falle y byddan nhw'n dod i holi amdana i heno; ac os y byddan nhw'n fy ngweld i'n cysgodi yn eich tŷ chi, fydd hi'n go ddrwg arnoch chi, alla i fentro dweud wrthoch chi.'

'Ond, syr, dwi ddim yn fodlon gweld gŵr bonheddig fel chi yn cysgu yn yr hen feudy gwael 'ma.'

'Peidiwch â phoeni amdana i nawr; ewch 'nôl i'r tŷ, ac os daw rhywun heno . . . y . . . gobeithio y gallwch chi guddio'r plentyn . . . a dweud celwydd

. . . falle y gallwch chi ddweud wrthyn nhw na ddaeth neb tebyg i mi yn agos at y tollborth heno. A beth bynnag ddwedan nhw wrthoch chi, mae'n rhaid i chi gredu mai eisiau gwneud drwg i'r plentyn a finne maen nhw.'

Roedd Tomos Wiliam yn gwrando'n syn. 'Fe wna i 'ngore dros y plentyn, syr, o hyn i'r bore. Chaiff neb fynd ag e, rwy'n addo i chi. A nawr, os y'ch chi'n benderfynol o gysgu fan hyn . . . cystal i fi fynd 'nôl am y tŷ neu fe fydd Gwen yn dechre pryderu.' Trodd Tomos Wiliam am y drws.

'Arhoswch!' meddai'r dyn ifanc. Daeth yn nes at Tomos Wiliam. 'Mae gen i waled fan yma,' meddai. 'Rhag ofn i rywbeth ddigwydd i mi cyn y bore – a wnewch chi ofalu amdani? Cym'rwch hi a chadwch hi'n ddiogel.'

'Pam ry'ch chi'n siarad fel hyn, syr? Does dim yn mynd i ddigwydd i chi!'

'O'r gore, falle'ch bod chi'n iawn. Ond cymrwch hi, os gwelwch yn dda.'

Cymerodd Tomos Wiliam hi o'i law. Roedd hi'n drwchus ac yn weddol drwm.

'Mae'r hyn sydd yn honna, Tomos Wiliam, yn perthyn i'r bachgen bach. Tase rhywbeth . . . na, ddweda i ddim mo hynna eto; ewch nawr, Tomos Wiliam, mae wedi mynd yn hwyr.'

'Ydy mae. Wel, syr, gan eich bod chi'n benderfynol ei bod hi'n fwy diogel i chi yma nag yn y tŷ, fe af fi. Ond rwy i am adael y lantarn i chi.'

'A! Diolch yn fawr. Ro'n i'n hanner gobeithio y byddech chi'n gwneud hynny.'

'Wel 'te, nos da, syr. Fe fydd y waled yma'n eich disgwyl chi pan ddowch chi i fyny i'r tŷ yn y bore.'

'Nos da, Tomos Wiliam . . . a . . . diolch yn fawr iawn i chi am bopeth.'

'Peidiwch â sôn, syr.'

Camodd Tomos Wiliam allan trwy ddrws yr hen feudy a'i dynnu ar ei ôl. Ar unwaith roedd yn y tywyllwch eto, ac am foment allai e weld dim byd.

Disgynnodd diferion glaw o do'r hen feudy ar ei war a rhedeg yn oer i lawr ei gefn. Tynnodd goler ei got yn dynnach am ei wddf, a cherddodd i fyny'r llwybr at y tollborth. Roedd sŵn y gwynt yn y coed uwch ei ben yn frawychus. Cyrhaeddodd y tŷ'n ddiogel. Roedd popeth fel roedd e wedi ei adael ac roedd hi'n amlwg nad oedd neb wedi bod yno yn ei absenoldeb. Aeth trwodd i'r stafell lle roedd gwely Gwen. Agorodd y drws yn ddistaw bach. Roedd cannwyll ynghyn ar y bwrdd crwn yn ymyl y gwely. Roedd Gwen a'r plentyn bach yn cysgu'n dawel!

Safodd Tomos Wiliam am funud yn edrych i lawr ar y ddau ben ar y gobennydd. Rhaid bod Gwen wedi mynd i orwedd yn ymyl y bychan yn y gwely i'w gadw'n gynnes – ac roedd hi wedi mynd 'nôl i gysgu heb yn wybod iddi ei hun! Gwenodd wrth edrych i lawr ar y ddau – y pen bach cyrliog, a'r pen a'r gwallt du, trwchus, oedd yn ffram i wyneb prydferth ei ferch. Yna meddyliodd ei bod yn hen bryd iddo yntau fynd i'r cae nos hefyd!

Aeth 'nôl i'r gegin gan gau'r drws yn ddistaw. Roedd y tân yn fyw o hyd. Eisteddodd ar y sgiw a thynnodd y waled a gafodd gan y dyn ifanc yn y beudy allan o'i boced.

Roedd clo arian wedi'i gerfio arni, ac edrychodd Tomos Wiliam yn hir ar hwnnw. Daeth awydd drosto i agor y waled i weld beth oedd ynddi. Ond meddyliodd wedyn nad oedd ei chynnwys o unrhyw fusnes iddo ef. Yn y bore byddai'r dyn ifanc yn dod i'w chasglu . . .

Yng ngwres y tân dechreuodd deimlo'n gysglyd. Cododd a rhoi'r waled yn nrôr y seld lle roedd yn arfer cadw'i bethau pwysig ei hun bob amser. Roedd clo ar y drôr hwnnw, a nawr roedd yr allwedd yn ddiogel yn ei boced. Cerddodd yn araf tuag at ei stafell wely. Ond cyn cyrraedd y drws stopiodd yn stond i wrando. Uwchlaw sŵn y gwynt a'r storm y tu allan gallai ei glustiau cyfarwydd glywed sŵn – sŵn carnau ceffylau'n dod yn nes! Dechreuodd ei galon guro'n gyflymach. Roedd bysedd yr hen gloc mawr ar fur y gegin ar hanner awr wedi un. Pwy oedd allan mor hwyr?

Daeth sŵn y carnau'n nes. Yna clywodd sŵn lleisiau cymysg y tu allan. Yna un llais garw'n gweiddi – 'GATE!'

Pennod 2

Cymerodd Tomos Wiliam ei amser y tro hwn. Roedd rhaid iddo ddod â lantarn arall allan o'r cwtsh-dan-star, ac wrth gwrs, roedd rhaid ei chynnau. Ar ôl gweld y gannwyll yn fflam aeth at y drws.

'*Gate there*!' gwaeddodd llais o'r tu allan cyn iddo gael amser i'w agor. Cyn gynted ag yr aeth Tomos Wiliam allan drwy'r drws gwelodd bedwar dyn ar gefn ceffylau'n disgwyl yn y glaw.

'Tyrd o 'na'r cythraul!' gwaeddodd un ohonyn nhw. 'Mae'n ddrwg gen i, syr,' meddai Tomos Wiliam, 'ond rwy'n gwneud fy ngorau.'

'Wyt ti wir. Roeddet ti'n hir iawn yn dod i agor y glwyd.'

'Ond mae'n hwyr, syr, ac mae'n bryd i bawb fod yn 'u gwely.'

'Doeddet ti ddim yn dy wely oeddet ti?' meddai'r dyn oedd yn edrych fel arweinydd y pedwar.

Teimlodd Tomos Wiliam ofn yn ei galon. Roedd y dyn wedi sylwi ei fod ar ei draed yn hwyr, pan ddylai fod yn ei wely. Beth os mai'r rhain oedd y dynion roedd y dyn ifanc, dieithr oedd yn cysgu yn hen feudy Pont-y-glyn yn eu hofni? Fe gafodd wybod yn fuan iawn.

'Oes rhywun wedi mynd drwy'r glwyd 'ma ryw awr 'nôl?' gofynnodd yr un dyn eto.

'Na, syr,' meddai Tomos Wiliam, heb feddwl dim, 'does 'na neb wedi mynd trwy'r glwyd ers pan aeth coets y post trwodd dros ddwy awr 'nôl.'

Edrychodd y pedwar dieithryn ar ei gilydd.

'Ond . . .' meddai'r arweinydd, 'mae'n *rhaid* 'i fod e wedi mynd y ffordd yma! Does yna ddim un ffordd arall. Fe ddwedodd ceidwad tollborth Penbryn nad oedd e wedi mynd y ffordd honno, felly mae'n rhaid mai'r ffordd yma y daeth e, a rhaid 'i fod e wedi mynd trwy'r glwyd yma. Wyt ti'n dweud celwydd, dwed?' gan droi'n chwyrn at Tomos Wiliam.

'Syr!' meddai hwnnw, gan godi ei lais. 'Dwi ddim yn mynd i aros fan yma yn y glaw i ddadlau â chi. Os ydych chi am fynd mae'n well i chi fynd nawr – rwy i am fynd i 'ngwely.'

'Ei di ddim i'r gwely nes bydda i wedi gneud yn siŵr . . .' meddai'r arweinydd. Ac yn sydyn disgynnodd oddi ar gefn ei geffyl. Gwnaeth y tri arall yr un peth. Mewn winciad roedd y tri wedi closio at Tomos Wiliam, ac roedd golwg fygythiol arnyn nhw.

'Does neb wedi mynd trwy'r glwyd ers orie,' meddai Tomos Wiliam wedyn, a theimlai'n falch ei fod yn dweud y gwir. Doedd y dyn ifanc oedd i lawr yn y beudy ddim wedi mynd *trwy'r* glwyd.

'Falle naddo fe,' meddai'r un llais eto, 'falle 'i fod e yn y tŷ gyda ti. M-m-m? Ydy e a'r plentyn yn y tŷ?'

Gwnaeth Tomos Wiliam ei orau i ddweud rhywbeth ond tagodd ei lais yn ei wddf, ac allai e ddim yngan gair.

'A!' meddai'r dyn a oedd wedi gwneud y siarad i gyd, gan dynnu'r lantarn o'i law. 'Rwyt ti wedi mynd yn dawel iawn, on'd wyt ti? Ydyn nhw yn y tŷ?'

'Na!' meddai Tomos Wiliam o'r diwedd.

'Fe gawn ni weld, 'y machgen gwyn i! Arwain y ffordd i'r tŷ.'

Fe deimlai Tomos Wiliam fel dweud wrtho am fynd i gythraul ag e, ond roedd e'n gwybod na fyddai hynny ond yn gwneud pethau'n waeth.

'Does gyda chi ddim hawl . . .' dechreuodd.

Chwerthin wnaeth y dyn. 'Dim hawl! Nagoes e wir!' meddai'n wawdlyd. 'Fe ddangoswn ni i ti. Cydiwch ynddo fe!'

Cydiodd dau o'r dynion ymhob braich iddo a'i fartsio'n gyflym am y tŷ. Gan fod pedwar ohonyn nhw, roedd Tomos Wiliam yn gwybod nad oedd dim y gallai wneud i'w rhwystro.

Yna roedden nhw yn y gegin.

'Does 'na neb yma fel y gwelwch chi,' meddai Tomos Wiliam.

Cafodd gyfle nawr i weld y dihirod yn iawn. Edrychodd yn gyntaf ar y dyn oedd wedi bod yn siarad drwy'r amser. Roedd ganddo got drwchus a chostus amdano, ac er ei bod yn wlyb domen, gallai weld ei bod yn got hardd iawn. Roedd y dyn ei hunan yn dew a'i wyneb yn goch. Ond ei lygaid oedd yn tynnu sylw Tomos Wiliam fwyaf y funud honno. Llygaid creulon, cyfrwys oedden nhw.

Am y lleill roedd hi'n amlwg mai rhyw fath o weision i'r dyn oedden nhw; roedd eu dillad yn fwy garw a'u hwynebau'n frwnt.

'Ry'n ni am weld pob stafell yn y tŷ 'ma,' meddai'r dyn.

'Dim ond tair stafell sy 'ma,' meddai Tomos Wiliam, 'y gegin 'ma – ac fel y gwelwch chi, does neb ond ni ynddi hi; ac os dewch chi drwodd fan hyn, fe gewch weld y llall.' Arweiniodd y ffordd i'r pen uchaf lle roedd ei stafell wely e ac agorodd y drws. 'Edrychwch ym mhobman . . . o dan y gwely . . . y cwpwrdd 'na.'

Ond fe welon nhw'n sydyn fod neb yn y stafell fechan.

'Nawr 'te . . . y stafell arall,' meddai'r dyn. Oerodd Tomos Wiliam trwyddo i gyd. Roedd e wedi bod yn ofni'r foment yma, a nawr, dyma hi wedi dod.

'Ond stafell fy merch yw honno! Mae hi'n cysgu. Chewch chi ddim ei deffro yr amser 'ma o'r nos!'

'Na chawn ni wir!' wfftiodd y dyn tew. Roedd gwên fileinig ar ei wyneb. 'Na chawn ni wir!' meddai wedyn.

Ond yn sydyn roedd Tomos Wiliam wedi cael digon. Roedd e'n benderfynol o amddiffyn y plentyn diniwed oedd yn cysgu'n dawel yn stafell wely ei ferch.

'Mi fydda i'n rhoi'r gyfraith arnoch chi os na adewch chi'r tŷ 'ma ar unwaith,' meddai.

Chwerthin yn isel wnaeth y dieithryn. Chwerthin wnaeth ei weision hefyd a daeth un ohonyn nhw tuag ato'n fygythiol. Cafodd groeso annisgwyl. Fe drawodd Tomos Wiliam e â'i ddwrn yn ei wyneb nes ei fod yn ei hyd ar y llawr. Digwyddodd pethau'n gyflym wedyn. Yr eiliad nesaf roedd Tomos Wiliam ei hun ar y llawr. Roedd rhywun wedi'i daro ar ei ben â rhywbeth. Gorweddodd yno am dipyn heb allu gweld dim ond sêr o flaen ei lygaid. Yna roedd rhywun wedi'i dynnu ar ei draed a'i wthio yn erbyn y wal fel na allai symud dim. Pan allai weld yn gliriach sylwodd fod dau o weision y dyn yn ei ddal.

Roedd y llall ar ei eistedd ar y llawr a gwaed yn rhedeg o'i drwyn. Gwelodd y dyn yn mynd at ddrws stafell wely Gwen. Caeodd ei lygaid a gweddïodd am nerth i allu rhwystro'r dihirod yma rhag mynd â'r plentyn. Rywfodd neu'i gilydd roedd e'n teimlo'n siŵr mai'r plentyn, ac nid y dyn ifanc yn y beudy, oedd yn fwyaf pwysig iddyn nhw.

Gwelodd y dyn tew'n agor drws stafell wely Gwen. Caeodd ei lygaid eto gan ddisgwyl clywed gwaedd fuddugoliaethus y dihiryn ar ôl gweld y plentyn. Ond yn rhyfedd iawn ddigwyddodd ddim byd. Chwiliodd llygaid y dyn y stafell am funud, ond aeth e ddim i mewn. Yna, er syndod i Tomos Wiliam, daeth 'nôl i'r gegin.

'Does neb yma,' meddai wrth y lleill. 'Dewch, gadewch i ni fynd; ry'n ni wedi gwastraffu digon o amser yn barod. Agor y glwyd i ni, was!'

Tynnodd ddarn o arian o'i boced a'i daflu ar y bwrdd. Oni bai fod y ddau ddihiryn yn dal yn dynn wrth ei freichiau fe fyddai Tomos Wiliam wedi'i daflu'n ôl ato. Erbyn hyn roedd y dyn roedd Tomos Wiliam wedi rhoi ergyd iddo wedi codi o'r llawr, ac yn edrych yn gas arno.

Cyn gynted ag y gadawodd y ddau arall e'n rhydd aeth Tomos Wiliam am y drws. Roedd yn rhaid iddo gael gwared â'r dynion ofnadwy yma o'i fwthyn. Cydiodd yn y lantarn ac aeth allan i'r tywyllwch. Daeth y pedwar arall ar ei ôl.

Wrth agor y glwyd ceisiodd ddyfalu sut yn y byd na welodd y dyn tew y baban yn y gwely. Yna taflodd y glwyd ar agor led y pen ac aeth y pedwar dihiryn oedd wedi'i gam-drin drwyddi ar gefn eu ceffylau. Wrth fynd fe geisiodd un ohonyn nhw roi cic i Tomos Wiliam yn ei wyneb. Yng ngolau'r lantarn gwelodd mai'r un oedd wedi cael ergyd ar ei drwyn oedd hwnnw. Yn ffodus iawn roedd ei wyneb allan o gyrraedd esgid drom y dyn ar gefn y ceffyl.

Ar ôl i sŵn y ceffylau gael ei foddi gan sŵn y storm, aeth Tomos Wiliam 'nôl yn frysiog i'r tŷ. Aeth yn syth i stafell wely Gwen. Roedd hi'n gorwedd yno fel pe bai'n cysgu'n drwm. Sut oedd hi wedi gallu cysgu trwy'r holl sŵn oedd wedi bod yn y tŷ? Doedd dim sôn am y baban! Aeth yn nes at y gwely. Agorodd Gwen ei llygaid led y pen.

''Nhad! Ydyn nhw wedi mynd?'

'Ydyn. Oeddet ti ar ddi-hun? Ble . . . ble mae'r plentyn?'

Tynnodd Gwen y flanced 'nôl, ac yno o dan y dillad roedd y plentyn – yn dal i gysgu'n dawel.

'Fe dynnaist i'r dillad drosto cyn i'r dyn ofnadw 'na ddod mewn?' meddai Tomos Wiliam, gan wenu.

'Do, ro'n i'n gallu clywed y cyfan oedd yn mynd mla'n, 'Nhad, ac ro'n i'n poeni amdanoch chi, ac ro'n i'n poeni y bydde'r un bach yn dihuno.'

'Diolch byth na wnaeth e, 'merch i. Rwy'n siŵr – er nad oes gen i ddim i brofi – mai ar ôl yr un bach 'ma roedden nhw. Druan bach, beth yw 'i hanes e tybed, a beth sy'n mynd i ddod ohono fe?'

'Ydy e'n mynd i aros gyda ni, 'Nhad?'

'Dim ond tan y bore, 'merch i. Fe fydd y dyn ifanc yna sy'n cysgu ym meudy Pont-y-glyn yn dod yn y bore i fynd ag e.'

'O?' meddai Gwen yn siomedig.

'Mae hi'n berfedd nos, 'merch i. Gad i ni fynd i gysgu nawr – fe ddaw'r bore'n llawer rhy fuan.'

Pennod 3

Er iddo fynd i'w wely'n hwyr iawn y noson cynt, fe ddeffrodd Tomos Wiliam yn gynnar fore trannoeth. Y peth cyntaf a deimlodd ar ôl dihuno oedd cur ofnadwy yn ei ben. Yna cofiodd am yr ergyd a gafodd. Bu'n gorwedd yn ei unfan am dipyn yn chwalu meddyliau. Roedd pobman yn ddistaw. Roedd y storm wedi cilio, meddyliodd, oherwydd allai e ddim clywed sŵn gwynt na glaw y tu allan i'r ffenest.

Yna daeth holl ddigwyddiadau cyffrous y noson cynt yn ôl i'w gof. Neidiodd o'i wely a gwisgo ar frys. Roedd y boen yn ei ben yn ofnadwy nawr, ond roedd e'n gwybod na allai e ddim gorwedd yn y gwely funud arall. Byddai'n dda, meddyliodd, pan fyddai'r dyn ifanc a'r clogyn du wedi dod i 'nôl y baban a mynd ag e i lle bynnag roedden nhw'n bwriadu mynd. Yna fe allai e a Gwen deimlo'n ddiogel unwaith eto. Aeth allan i'r gegin. Doedd Gwen ddim wedi codi. Edrychodd ar y cloc. Hanner awr wedi saith. Fe ddylai'r dyn ifanc fod wedi dod i fyny o'r beudy erbyn hyn.

Aeth ias oer trwy ei gefn, ac aeth yn syth at y lle tân. Cyn mynd i gysgu'r noson cynt roedd e wedi rhoi mawn ar y tân. Yn ystod y nos roedd y mawn wedi mud-losgi'n araf, ond nawr pan roddodd Tomos Wiliam broc iddo, fe neidiodd y fflamau ohono. Taflodd goed sych ar y cyfan. Yna aeth i roi dŵr oer yn y tegell du ar y pentan.

Yn sydyn meddyliodd am rywbeth a wnaeth iddo anghofio'r tegell. Beth os oedd y dyn ifanc yn yr hen feudy wedi mynd ar goll, neu'n methu dod o hyd i'r llwybr i fyny o Bont-y-glyn? Doedd hi ddim yn hawdd i ddieithryn ddod o hyd i lwybr mor igam-ogam â hwnnw, yn enwedig yr amser hwnnw o'r flwyddyn a'r dail crin o'r coed yn cuddio'r llawr ym mhobman, bron.

Dechreuodd Tomos Wiliam deimlo'n anesmwyth iawn. Meddyliodd y byddai'n well iddo fynd i edrych amdano ar unwaith. Doedd hi ddim yn debyg y byddai neb o bwys yn dod heibio ar y ffordd fawr mor fore, a phe bai e'n mynd i'r hen feudy ar unwaith fe allai gael gwared ohono fe a'r baban cyn bod neb yn dod heibio. Ond cyn mynd, aeth i mewn yn ddistaw i stafell wely Gwen. Roedd hi a'r baban yn cysgu. Gwenodd wrth weld ei bod hi, rywbryd yn ystod y nos, wedi rhoi ei braich amdano. Ysgydwodd ysgwydd Gwen yn ysgafn i'w dihuno, ac ar ôl dweud wrthi beth oedd e'n bwriadu gwneud, aeth yn ôl i'r gegin.

Aeth wedyn yn frysiog allan o'r tŷ ac i lawr y llwybr a oedd yn arwain at hen feudy Pont-y-glyn. Er bod y storm wedi tawelu roedd olion ohoni i'w gweld ym mhobman. Roedd y dail crin wedi'u hysgwyd o'r coed gan y gwynt, ac yn gorwedd nawr yn garped gwlyb o dan ei draed. Roedd pyllau dŵr yma a thraw, a sŵn yr afon i'w chlywed yn y ceunant. Roedd y sŵn hwnnw'n dangos bod llif mawr ynddi – wedi'i achosi gan y glaw a ddisgynnodd yn ystod y nos. Roedd y llwybr o dan ei draed yn wlyb ac yn llithrig, ac unwaith neu ddwy ar y ffordd i lawr bu bron â chwympo.

Ond o'r diwedd daeth at y beudy llwyd yn ymyl yr afon. Roedd y drws ynghau.

Agorodd Tomos Wiliam y drws. 'Helô 'na!' gwaeddodd wrth gerdded i mewn i'r hanner tywyllwch. Ond chafodd e ddim ateb. Edrychodd o'i gwmpas. Gallai weld y gwair a phopeth fel roedd y noson cynt, ond doedd dim sôn o gwbwl am y dyn dieithr na'r ceffyl.

'Rhaid 'u bod nhw tu allan 'ma yn rhywle,' meddai wrtho'i hun.

Aeth drwy'r drws ac edrych i fyny ac i lawr. Ond doedd neb yn y golwg yn unman. Dechreuodd deimlo'n gynhyrfus. Ble allai'r dyn a'r ceffyl fod wedi mynd? Doedden nhw ddim wedi dod i fyny'r llwybr at y tollborth, roedd hynny'n sicr, neu byddai wedi gweld ôl pedolau yn y pridd gwlyb. Ac o'u blaen doedd dim ond yr afon wedi chwyddo'n fawr gan y glaw. Doedd bosib eu bod wedi mentro ei chroesi?

Aeth i lawr at lan yr afon. Yn y dŵr llwyd gallai weld brigau a dail crin yn rhuthro heibio. Yna gwelodd ôl pedolau'r ceffyl yn glir. Dilynodd yr ôl hyd at ymyl y dŵr a dyna lle roedden nhw'n gorffen. Fe geisiodd graffu ar y lan yr ochr arall i weld a oedd arwydd eu bod wedi cyrraedd yno'n ddiogel. Gwelodd doriad yn y lan fel pe bai'r pridd wedi'i sathru a'i rwygo. Fe allai fod wedi'i wneud gan y glaw. Ond hefyd, gallai fod wedi'i wneud gan geffyl wrth ddringo i fyny o'r dŵr.

Aeth Tomos Wiliam yn ôl i'r beudy. A oedd y dyn ifanc wedi croesi'r afon, tybed? Os oedd, roedd wedi mentro'i fywyd. A oedd e wedi cyrraedd y lan yr ochr draw yn ddiogel? Beth os oedd ei geffyl wedi'i gario gan y llif chwyrn?

Y tu mewn i'r beudy fe ddaeth o hyd i'r lantarn a adawodd gyda'r dieithryn y noson cynt. Doedd dim golau ynddi nawr.

Cydiodd Tomos Wiliam ynddi ac wedi edrych yn fanwl, gwelodd fod darn o bapur y tu mewn iddi. Agorodd ffenest y lantarn a thynnu'r darn papur allan. Roedd ei law yn crynu. Aeth â'r papur i ben y drws i gael golau. Roedd ysgrifen aneglur mewn pensil ar y papur. Dechreuodd ddarllen.

'Yn ystod y nos fe gefais gyfle i feddwl ac ailfeddwl ynghylch pethau, a dod i'r penderfyniad mai'r unig

beth i'w wneud yw gadael y baban yn eich gofal chi a'ch merch. Pe bai'n dod gam ymhellach gyda mi byddai ei fywyd mewn perygl enbyd. Rwy'n gwybod y byddwch chi eich dau'n gofalu amdano fel pe bai'n blentyn i chi eich hun. Mae digon yn y waled a adewais yn eich gofal i dalu am ei fwyd a'i ddillad nes y gallaf ddod 'nôl i'w gasglu. Fe gewch chi eich talu'n llawn am ei gadw, ac am eich caredigrwydd tuag ataf innau bryd hynny. Allaf i ddim egluro popeth i chi nawr; digon yw dweud bod y baban o dras uchel, a bod yna bobl a fyddai'n hoffi ei weld yn farw. Ei enw yw Arthur.

'Mae amlen dan sêl yn y waled hefyd. Er eich lles eich hun – peidiwch agor honno nes i fi ddod 'nôl. Ond . . .'

Yn y fan yna roedd yr ysgrifen wedi gorffen yn sydyn, fel pe bai'r un oedd yn sgrifennu wedi cael ei ddistyrbio gan rywbeth.

Safodd Tomos Wiliam yn ddryslyd yn nrws y beudy. Y baban! Roedd y dyn ifanc wedi mynd heb y baban! A beth os oedd e wedi boddi yn yr afon, neu wedi cael ei ladd gan y rhai oedd ar ei ôl yn ystod y nos?

Brysiodd i fyny'r llwybr gwlyb a serth i gyfeiriad y tollborth.

Wrth nesáu at y tŷ gallai glywed sŵn chwerthin. Aeth i mewn a gweld bod Gwen yn y gegin. Yn ei chôl roedd y baban – ar ddi-hun nawr ac yn gwneud sŵn bach hapus yn ei wddf, nes gwneud i Gwen chwerthin am ei ben. ''Nhad, on'd yw e'n un bach annwyl? Mae e'n dechre siarad, cofiwch, er nad ydw i ddim yn 'i ddeall e'n iawn 'to. Fe fuodd e'n crio ar ôl dihuno, ond wedi i fi roi tipyn o laeth cynnes iddo fe mae e wedi bod yn iawn. Y . . . ble mae'r dyn ddaeth ag e 'te?'

'Doedd e ddim yna, Gwen.'

'Ddim yna, 'Nhad? Ond . . . y . . . wel, beth sy'n mynd i ddigwydd nawr?'

Ysgydwodd Tomos Wiliam ei ben. 'Dim syniad, 'merch i.'

'Beth sy wedi digwydd iddo fe, 'Nhad?'

Ysgydwodd Tomos Wiliam ei ben eto. 'Dyna hoffwn i wybod. Mae e wedi dianc ar draws yr afon, os nad yw e wedi cael 'i gario i ffwrdd gyda'r llif. Mae hwn yn fusnes difrifol iawn, Gwen fach, rwy'n ofni. Fe adawodd y dyn ifanc nodyn yn y lantarn.'

'Beth oedd e'n ddweud, 'Nhad?'

'Yn gofyn i ni ofalu am yr un bach nes bydde fe'n dod yn 'i ôl. Dwi ddim yn hoffi'r busnes o gwbwl. Mae 'na bobol – rheina fuodd 'ma neithiwr – yn ceisio dod o hyd i'r plentyn i wneud niwed iddo. A thra bydd e 'ma gyda ni, fe fydd ein bywyde ninne mewn perygl hefyd.'

'Ond rhaid i ni wneud ein gore i'w gadw fe oddi wrth y dynion 'na fuodd yma neithiwr, 'Nhad.'

'Rhaid, 'merch i. Chaiff yr un bach ddim cam

os allwn ni 'u rhwystro nhw. Tasen ni'n gallu 'i gadw fe 'ma heb i neb wybod . . . Ond sut allwn ni wneud hynny? Mae'r tŷ 'ma yn ymyl y briffordd a chymaint o bobol yn mynd a dod, nos a dydd.'

'Fe wna i 'ngore i'w gadw fe yn y cefn o'r golwg nes daw'r dyn ifanc 'na'n ôl i' w gasglu e. Ond, 'Nhad, dy'n ni ddim yn gwybod ei enw fe hyd yn oed.'

'Y plentyn? Arthur yw 'i enw e.'

Ar y gair trodd y plentyn ei ben i wrando ar Tomos Wiliam.

'Arthur!' meddai Gwen gan ei godi fry yn ei breichiau. Wrth weld y ddau mor hapus aeth Tomos Wiliam i agor drôr y seld lle roedd y waled a gafodd gan y dyn dieithr y noson cynt. Roedd e wedi penderfynu peidio â dweud dim mwy wrth Gwen am lythyr y dyn ifanc gan gredu ei bod yn well iddi beidio â gwybod.

Aeth â'r waled i'w stafell wely. Wedi cau drws y stafell, eisteddodd ar y gwely.

Edrychodd ar y waled am foment cyn ei hagor. Yna gwasgodd ei fawd ar y clo ac agorodd ar unwaith. Gwelodd arian papur glân, newydd – papurau pumpunt bob un! Doedd Tomos Wiliam erioed wedi dal cymaint o gyfoeth yn ei law ar y tro. Yn wir, er ei fod yn cadw'r tollborth, ac yn trafod arian bob dydd, dim ond unwaith o'r blaen roedd e wedi gweld papur pumpunt. Dechreuodd gyfri – 'Un, dau, tri,' – hyd at ugain. Can punt!

Dyna bron ddigon o arian iddo allu ymddeol a byw'n weddol gyfforddus weddill ei oes! Ond roedd e'n gwybod na fyddai'n cyffwrdd â'r arian er ei les ei hun – byth.

Ym mhoced arall y waled roedd amlen dan sêl. Meddyliodd yn hir uwchben honno. Fe ddylai ei hagor er mwyn dod i wybod rhagor am y plentyn a oedd nawr yng ngofal Gwen ac yntau. Roedd ganddo hawl i wybod pwy oedd e, a phwy oedd yn ceisio gwneud drwg iddo, a pham. A'r tu mewn i'r amlen yma roedd y wybodaeth honno. A doedd llythyr y dyn ifanc oedd wedi diflannu ddim yn dweud yn bendant wrtho am beidio â'i hagor. Ond cofiodd eiriau'r llythyr . . . 'gwell i chi beidio . . . er eich lles eich hun.'

'Ond tasen i'n gwybod,' meddai wrtho'i hunan, 'mae'n siŵr y gallwn i wneud rhagor i helpu'r un bach.'

Yna neidiodd ar ei draed pan glywodd waedd y tu allan.

'Gate!'

Rhoddodd yr arian a'r amlen yn ôl yn frysiog yn y waled ac aeth â hi i ddrôr y seld. Doedd dim sôn am Gwen a'r plentyn. Rhaid mai wedi mynd allan i'r cefn i guddio oedden nhw, meddyliodd.

Aeth allan i'r heol.

Gwelodd ar unwaith mai'r dyn tew ddaeth i'w boeni y noson cynt oedd un o'r tri a oedd yn sefyll ar eu ceffylau wrth y glwyd. Milwyr oedd y ddau arall. Dechreuodd ei galon guro'n gyflym. Beth petai'r baban yn dechrau crio nawr? Gan ei bod yn fore tawel ar ôl y storm, byddai'r tri yn siŵr o'i glywed. Yna byddai e – Tomos Wiliam – mewn trwbwl mawr iawn.

Y dyn tew siaradodd gyntaf. Sylwodd Tomos Wiliam ei fod yn edrych yn fwy sarrug hyd yn oed na'r noson cynt.

'Dyma fi wedi dod 'nôl i ofyn i ti unwaith eto a aeth rhywun trwy'r glwyd 'ma neithiwr beth amser cyn i ni gyrraedd?'

Wrth gofio'r ffordd roedd hwn wedi'i drin, roedd Tomos Wiliam yn teimlo unwaith eto fel dweud wrtho am fynd i gythral ag e. Ond penderfynodd fod yn gwrtais rhag ofn.

'Dim neb, syr. Dim enaid byw.'

'Rhaid i ti fod yn ofalus,' meddai un o'r milwyr mewn llais awdurdodol. 'Os wyt ti'n dweud celwydd fe fyddi di'n cael dy gosbi'n drwm. Mae 'na Wyddel o Iwerddon – wedi dwyn baban – plentyn bach chwaer y gŵr bonheddig 'ma . . .'

'Do,' meddai'r dyn tew ar ei draws, 'ac roedden ni ar fin 'i ddal e neithiwr, pan ddiflannodd e . . . fe gafodd e 'i weld ddwy filltir i fyny'r ffordd o'r fan hyn – yn dod i'r cyfeiriad yma. Wedyn fe ddiflannodd. Nawr, unwaith eto – wyt ti'n dweud bod neb wedi mynd trwy'r glwyd?'

Roedd Tomos Wiliam mewn penbleth. Oedd stori'r milwr yn wir? A oedd e wedi helpu dihiryn i ddianc? Ac a oedd hwnnw wedi dwyn plentyn chwaer y dyn tew? Os felly, fe allai gael cosb ofnadwy am ei helpu i ddianc. Meddyliodd am foment. Byddai'n dda ganddo gael dweud yr holl hanes am yr hyn oedd wedi digwydd wrth y bobl yma – wrth rywun. Roedd y marchog ifanc a'r clogyn du wedi diflannu – diflannu a'i adael e a'i ferch i ofalu am y plentyn bach, a oedd, yn ôl y bobl yma, wedi cael ei ddwyn! Ai ei ddyletswydd oedd rhoi'r bychan 'nôl i'w ewythr nawr?

Edrychodd i fyw llygaid oeraidd y dyn tew.

'Wel?' gofynnodd un o'r milwyr yn ddiamynedd.

'Rwy i wedi dweud sawl gwaith erbyn hyn, syr – aeth neb trwy'r glwyd.' Roedd llais Tomos Wiliam yn benderfynol.

Dyna ei gyfle olaf i ddweud y gwir wedi mynd, meddyliodd. Pam roedd e wedi cadw'r gyfrinach? Pobl y gyfraith oedd y rhain, ac roedd hi'n ddyletswydd arno barchu swyddogion y gyfraith. A dyma fe'n cuddio plentyn! Plentyn wedi'i ddwyn.

Ond yn ei galon roedd Tomos Wiliam yn gwybod bod y baban mewn perygl oddi wrth y bobl yma, a dim ond fe a Gwen oedd yn sefyll rhyngddyn nhw ag e. Roedd Tomos Wiliam wedi gweld pob math o bobl yn mynd drwy'r dollborth dros y blynyddoedd, ac roedd e wedi arfer a darllen eu hwynebau. 'Mae cymeriad dyn yn ei wyneb,' dyna fyddai'n dweud wrtho'i hun yn aml. Ac roedd e'n siŵr nad oedd e wedi darllen dim byd da yn wyneb y gŵr tew oedd yn sefyll o'i flaen nawr. Roedd rhyw reddf yn dweud wrtho nad oedd y stori am y dihiryn yn dwyn plentyn yn hollol wir.

'Oes yna lôn neu ffordd yn troi o'r ffordd fawr yn ymyl yn rhywle?' gofynnodd un o'r milwyr.

'Oes,' meddai Tomos Wiliam, 'mae yna lôn yn troi gyda thalcen y tŷ fan hyn. Mae'n arwain i lawr at yr afon, ac fe fyddai'r hen Isaac Huws y porthmon yn arfer gyrru ei wartheg ffordd yma pan na fyddai llif yn yr afon.'

'Efallai mai ffordd yna yr aeth e,' meddai milwr arall. Ond ysgwyd ei ben wnaeth y dyn tew, cyn dweud, 'O'r gore, dewch i ni fynd i lawr ffordd yna rhag ofn. Rhaid i ni beidio gadael yr un garreg heb 'i throi.'

Yna aeth y pedwar i lawr y lôn fach i gyfeiriad yr afon. 'Beth tasen nhw wedi meddwl am hynny neithiwr?' meddai Tomos Wiliam wrth fynd yn ôl i'r tŷ. Roedd e'n falch ei fod e wedi bod yn yr hen feudy o'u blaen nhw. Beth tasen nhw wedi dod o hyd i'r lantarn a'r llythyr?

'Ydyn nhw wedi mynd, 'Nhad?' gofynnodd Gwen.

'Ydyn, 'merch i. Ond mi fyddan nhw 'nôl cyn bo hir nawr. Rhaid i ti fynd â'r un bach mas i'r ardd pan glywi di sŵn carnau, rhag ofn.'

'Ble maen nhw nawr 'te, 'Nhad?'

'Wedi mynd i lawr am yr hen feudy wrth Bont-y-glyn.'

'Fan'ny roedd e'n cysgu neithiwr!'

'Ie, Gwen. O, dwi ddim yn gwybod beth fydd diwedd yr holl helynt 'ma. Mae'r dyn ifanc 'na wedi'n rhoi ni mewn sefyllfa anodd iawn. Beth os daw e 'nôl? Beth wedyn? A beth os yw e wedi boddi neu wedi'i saethu . . .'

'O na!' meddai Gwen.

'Na,' atebodd Tomos Wiliam, 'rwy'n credu bod y dyn ifanc 'na yn fyw ac yn iach yn rhywle. Rwy'n rhyw gredu bod eisie mwy na llif mewn afon a milwyr i gael gwared arno fe!'

Yna cododd Tomos Wiliam ei ben i wrando. Roedd sŵn corn yn canu yn y pellter.

'Coets y post! Rhaid i ni frysio i agor y glwyd, Gwen. All hon ddim aros, neu fe fydd Robert Ifan y gyrrwr o'i go'.'

Rhedodd allan i'r ffordd. Edrychodd Gwen ar y cloc. Hanner awr wedi naw. Roedd y goets yn brydlon fel arfer.

Pennod 4

'Helô 'na!' Roedd Tomos Wiliam wedi clywed sŵn carnau ceffylau yn dod i fyny o gyfeiriad yr afon, ac roedd e'n disgwyl am y waedd yna. Aeth allan ar unwaith. Roedd eu ceffylau'n mygu.

'Ry'n ni wedi gweld olion traed dau ddyn yn ymyl yr hen feudy,' meddai'r dyn tew.

'O?' meddai Tomos Wiliam.

'Mae ôl carnau ceffyl yno hefyd,' meddai un o'r milwyr.

'Y . . .' ychwanegodd y dyn tew, 'rwy i am ddiolch i ti am ddangos y lôn i ni. Rwy'n siŵr erbyn hyn mai yn yr hen feudy roedd e neithiwr, ac mae'n ddrwg gen i 'mod i wedi dy amau di.'

Daeth hanner gwên i wyneb Tomos Wiliam. Beth petai'r dynion yn gwybod mai olion ei draed e oedd un o'r rhai roedden nhw wedi'u gweld yn ymyl yr hen feudy? Ond aeth y dyn yn ei flaen eto.

'Mae'n siŵr fod rhywun yn yr ardal 'ma wedi'i helpu. Mae'n bosib 'i fod e wedi gadael y baban gyda rhywun.'

Nawr roedd Tomos Wiliam yn chwysu eto. A oedd ei wyneb yn dangos mai fe oedd wedi helpu'r Gwyddel ac yn gofalu am y baban?

'Mi fydda i'n gadael un o'm gweision yn y pentre i gadw llygad amdano fe neu'r plentyn. Fe fydd ugain punt i unrhyw un sydd â gwybodaeth all fy arwain i ato fe – neu'r baban.'

A gyda hynny roedden nhw wedi mynd gan adael Tomos Wiliam a'i geg ar agor wrth ddrws ei fwthyn. Ugain punt! Beth allai e ei wneud ag ugain punt? O, roedd y swm yn ddigon mawr i dynnu dŵr o'i ddannedd.

* * *

Aeth wythnos heibio, ond ddaeth neb wedyn i holi am y dieithryn a'r baban. Bob nos roedd Tomos Wiliam yn disgwyl clywed sŵn carnau ceffyl yn dod at y tollborth, a'r dyn ifanc a'r clogyn du yn dod i gasglu'r baban. Ond ddaeth e ddim.

Roedd un peth yn poeni Tomos Wiliam yn fawr. Roedd e wedi sylwi fwy nag unwaith fod yna ddyn yn llercian o gwmpas y glwyd ac o gwmpas Pont-y-glyn a'r hen feudy. Ai hwn oedd yr un oedd wedi'i adael gan y dyn tew i gadw llygad ar yr ardal? A oedd e hefyd yn cadw llygad ar ei fwthyn? Roedd e'n teimlo'n fwy nerfus ac anesmwyth gyda phob dydd oedd yn mynd heibio. Dyna pam roedd e wedi gwrthod gadael i Gwen fynd â'r plentyn am dro. Tase'r un oedd yn gwylio'r lle'n ddistaw yn ei weld un waith fe fyddai'r dynion ar eu holau'n syth.

Yna, yn hwyr un noson, roedd wedi clywed sŵn rhywun yn cerdded yn araf o gwmpas y tŷ ond pan aeth allan i weld pwy oedd yno doedd dim golwg o neb yn unman. Yna roedd Gwen wedi meddwl ei bod hi wedi gweld wyneb yn edrych arni trwy glawdd yr ardd unwaith. Ond roedd yr wyneb wedi diflannu mewn winc, gan wneud iddi feddwl mai dychmygu wnaeth hi. Roedd Tomos Wiliam hefyd yn ddigon parod i gredu mai ei nerfau oedd wedi'i dwyllo yntau. Ond rhwng popeth, roedd yr wythnos ar ôl i'r plentyn ddod i fyw atyn nhw yn y bwthyn wrth ymyl y ffordd fawr yn amser digon gofidus.

Prynhawn dydd Sadwrn oedd hi pan glywodd Tomos Wiliam y drws yn agor a rhywun yn gweiddi, 'Helô!' Roedd e'n adnabod y llais – llais ei chwaer Catrin. Roedd hi'n wraig i Ifan Puw yr Hafod, draw ar lethrau'r Frenni Fawr. A phob nawr ac yn y man byddai Catrin yn cerdded pum milltir o'r Hafod i dollborth Pont-y-glyn i weld ei brawd a'i nith. Roedd Catrin Puw yn credu bod yn rhaid iddi ddod am dro nawr ac yn y man er mwyn cadw tipyn o drefn ar Tomos Wiliam a Gwen. A chwarae teg iddi, fyddai hi byth yn dod heb fasged lawn – o wyau, bara gwenith a menyn a chaws.

Y peth nesaf a welodd Tomos Wiliam oedd

Catrin ei chwaer yn sefyll ar ganol llawr y gegin a'i basged ar ei braich fel arfer.

'Catrin!' meddai'n syn, 'o ble ddest ti mor sydyn?'

Rhoddodd Catrin Puw'r fasged ar y bwrdd, a rhwbiodd ei phenelin, oedd yn boenus ar ôl ei chario mor bell. Yna edrychodd o gwmpas y gegin i weld sut drefn oedd ar y lle, cyn eistedd ar y sgiw gyferbyn â'i brawd, ac edrych i fyw ei lygad.

'Wel, Tomos,' meddai, 'beth sy'n bod arnat ti?'

'Beth sy'n bod arna i?'

'Ie, beth sy'n bod arnat ti? Paid ti ceisio 'nhwyllo i, Tomos. Rwy'n gallu gweld wrth dy wyneb di fod rhywbeth yn dy boeni di. Cofia di 'mod i flynydde'n hŷn na ti, 'machgen i. Rwy i wedi gweld dy fagu di, cofia.'

Gwenodd Tomos Wiliam am y tro cyntaf ers amser. Roedd e'n falch o weld ei chwaer.

'Ble mae Gwen?' gofynnodd Catrin.

'O . . . y . . . mae hi o gwmpas y lle 'ma. Mae hi yn yr ardd, rwy'n meddwl.'

'O ie? Wel, sut mae'r byd yn dy drin di, Tomos?'

'O . . . y . . . yn iawn . . . yn iawn . . .'

'O, yn iawn, iefe? Wel, dwyt ti ddim yn swnio'n rhyw siŵr iawn chwaith, wyt ti?'

Y foment honno cerddodd Gwen i mewn i'r stafell a'r baban yn ei chôl.

'Wel, brensiach y brain! Beth yn y byd yw hwnna, Gwen?'

Edrychodd Gwen braidd yn amheus ar ei thad. A oedd hi wedi rhoi ei throed ynddi wrth ddangos y plentyn i'w modryb? A beth pe bai rhywun arall heblaw ei modryb yno?

'Catrin,' meddai Tomos Wiliam, 'eistedd ar y sgiw 'na.' (Roedd ei chwaer wedi neidio ar ei thraed pan welodd y baban ym mreichiau Gwen.)

'Wel?' meddai, ar ôl eistedd unwaith eto.

'Cer â'r bachgen bach 'ma wrth Gwen – iddi gael mynd i baratoi pryd o fwyd i ti – ac fe ddweda i'r hanes i gyd wrthot ti nawr.'

Edrychodd Catrin o un i'r llall, cyn estyn ei breichiau am y plentyn.

Plygodd Gwen i'w roi yn ei chôl.

'Wel y peth bach del!' meddai gan roi'r baban ar ei phen-glin. Yna dechreuodd Tomos Wiliam ar ei stori. Adroddodd yr hanes i gyd am y dyn ifanc a'r clogyn du, am y waled a'r arian ac am y dynion oedd wedi bod yn chwilio am y dyn ifanc a'r baban. Wedyn dechreuodd sôn am y dyn oedd wedi bod yn loetran o gwmpas yn cadw llygad arno fe a Gwen.

Roedd y plentyn yn chware â'r botymau ar flows Catrin Puw, a bob nawr ac yn y man, byddai'n gwneud y sŵn bach hwnnw oedd yn dangos ei fod yn hapus.

Ar ôl i Tomos Wiliam orffen ei stori, roedd Catrin yn ddistaw am dipyn. Yna dywedodd, 'Wel, yr hen ffŵl gwirion â ti yn derbyn plentyn oddi wrth ddyn hollol ddierth, Tomos!'

'Ie,' atebodd ei brawd.

'Fyddai neb â thipyn o synnwyr cyffredin yn 'i ben e wedi gneud y fath beth.'

'Na, rwyt ti'n iawn; rwy'n gallu gweld hynny nawr.'

'Falle na ddaw'r dyn ifanc 'na byth 'nôl. A beth wyt ti'n mynd i'w neud wedyn?'

'Wel . . . y . . . fe fydd rhaid cadw'r plentyn, dyna i gyd. Mae 'na ganpunt yn y waled . . .'

'A beth am y dyn 'na sy'n prowlan o gwmpas tu fas 'na? Wyt ti'n meddwl y cei di *lonydd* i gadw'r plentyn?'

'Na . . . y . . . mae arna i ofn, Catrin . . .' Yn sydyn cododd Tomos Wiliam o'i gadair a dechrau cerdded i fyny ac i lawr y stafell.

'Catrin,' meddai o'r diwedd, gan droi at ei chwaer, 'fyddet ti'n fodlon 'i gymryd e?'

'Fi? Brensiach y brain, Tomos. Fi'n 'i gymryd e? Dim diolch!'

'Dim ond dros dro ro'n i'n feddwl, Catrin, nes bydde pethe wedi tawelu tipyn. Mae'r Hafod yn lle unig ar ochor y mynydd – fydde neb yn debyg . . .'

'Tomos,' meddai Catrin cyn iddo orffen, 'mae digon o waith edrych ar ôl y ffarm 'co, a hynny heb damaid o forwyn na dim byd. Sut yn y byd wyt ti'n meddwl y galla i ofalu am blentyn ar ben hynny?'

'Ond dim ond am wythnos neu ddwy nes daw'r dyn ifanc 'nôl.'

'Hy!' meddai Catrin, gan chwerthin yn wawdlyd. 'Os wyt ti'n meddwl y gweli di hwnna byth eto, rwyt ti'n gneud camgymeriad mawr iawn, Tomos.'

'Wel, os na ddaw e, mi fydda i'n agor yr amlen sy'n y waled i weld pwy yw'r plentyn. Fe ddwedodd y milwr fuodd 'ma mai mab i chwaer y dyn tew oedd e. Os felly, fe fydd hi'n hawdd dod o hyd i rywun i ofalu amdano fe.'

'Dyw'r dyn 'na ddim yn swnio i fi fel rhywun all ofalu'n iawn am y bachgen bach 'ma, Tomos.'

'Na, rwy i wedi bod yn meddwl hynny o'r dechre.'

Roedd yna ddistawrwydd rhyngddyn nhw am funud. Roedd y baban yn tynnu un o fotymau blows Catrin fel pe bai'n benderfynol o'i gael yn rhydd. Gwenodd hithau wrth ei wylio.

'O? Un bach drwg wyt ti, rwy'n gweld,' meddai wrtho. Ond roedd gwên ar ei hwyneb wrth ddweud. 'Mae e'n blentyn cryf, Tomos. Mae e wedi cael gofal da cyn iddo fe ddod 'ma. Beth mae hi, Gwen, yn feddwl ohono fe?'

'O, mae hi'n dotio arno fe, bob munud o'r dydd. Rwy'n ofni, os na aiff e o 'ma cyn bo hir y bydd hi'n mynd yn rhy hoff ohono fe.'

'Fe alla i gredu hynny'n iawn, Tomos.'

Edrychodd Catrin ar wyneb tlws a gwallt cyrliog

y baban, a gwelodd ei brawd ddeigryn gloyw yn cronni yng nghornel ei llygad. A'r foment honno aeth ei feddwl yn ôl ugain mlynedd, i'r dydd pan oedd ei chwaer wedi colli plentyn bach ar ddydd ei eni, ac fel roedd hi wedi galaru ar ôl hwnnw am flynyddoedd. Roedd hi wedi bod yn wael iawn, a'r meddyg bron ag anobeithio. Ac roedd Tomos Wiliam yn gwybod mai un gofid mawr oedd wedi bod erioed ym mywyd ei chwaer – sef ei bod hi wedi methu â chael plant ei hun. Gwelodd hi'n cydio ym moch gron y baban rhwng ei bys a'i bawd.

'Fydde fe'n ddiogel gyda chi yn yr Hafod,' meddai. 'Does 'na fawr iawn o bobol ddierth yn dod ffor'na. A thasen nhw'n dod ry'ch chi'n gallu 'u gweld nhw o bell . . .'

'O!' meddai hithau, gan edrych yn gas arno. 'Rwyt ti'n haerllug, Tomos, yn gofyn i fi neud y fath beth! Beth fydde Ifan yn feddwl tasen i'n addo cymryd plentyn dierth . . .?'

Gwenodd Tomos Wiliam. Ifan yr Hafod oedd y mwyaf diniwed o ddynion, ac roedd e'n llwyr o dan fawd ei wraig. Doedd yr hen Ifan wedi amau yr un gair a ddywedodd Catrin erioed. Un felly oedd e.

'Nawr, Catrin,' meddai Tomos Wiliam, 'rwyt ti'n gwbod yn iawn pwy sy'n trefnu pethe tua'r Hafod 'co. Rwy'n nabod Ifan yn ddigon da i wbod na fydde fe byth yn mynd yn dy erbyn di mewn dim. Ac fe fydde Arthur bach yn gwmni i chi'ch dou. Ond mae'n debyg fod ofn y bobol 'ma sy'n edrych amdano fe.'

'Ofn y tacle 'na?' meddai Catrin yn ffyrnig. 'Does dim ofn yr un dyn byw arna i, 'machgen i!'

'Fe wnei di, felly?' Roedd llais Tomos Wiliam yn eiddgar.

Atebodd ei chwaer ddim ar unwaith. Edrychodd i fyw llygad ei brawd, yna 'nôl ar y baban yn ei chôl.

'Gwnaf, Tomos,' meddai o'r diwedd, 'ond ar un amod.'

'Ie?'

'Mod i'n cael gwbod mwy o'i hanes e.'

'Ond dwi ddim yn gwybod rhagor.'

'Y waled 'na, Tomos.'

'Wyt ti'n awgrymu ein bod ni'n . . .?'

'Yn agor yr amlen 'na.'

'Ond fe ddwedodd y dyn ifanc y byddai'n well i ni beidio.'

'Alla i ddim cymryd plentyn heb wybod dim amdano fe, Tomos. Falle 'mod i'n gwneud cam ag e wrth 'i gymryd e i'r Hafod. Falle y bydde hi'n well i ni 'i roi e'n ôl i'r rhai oedd 'ma yn edrych amdano fe.'

'Na.'

'O'r gore, Tomos, os wyt ti'n benderfynol o beidio agor yr amlen, mae'n ddrwg gen i ond alla i ddim addo 'i gymryd e.'

Gwelodd Tomos Wiliam fod ei chwaer yn benderfynol. Aeth i'r drôr a thynnu'r waled drwchus allan. Ar ôl ei hagor tynnodd yr amlen allan, ac wedi meddwl ychydig, torrodd y sêl. A'r foment honno daeth Gwen â bwyd i'r ford.

'Dewch i gael bwyd, Modryb Catrin, a dewch ag Arthur i fi.'

Estynnodd y bychan ei freichiau at Gwen gan gicio'i draed ar gôl Catrin Puw.

'Hy!' meddai honno'n ddireidus. 'Rwy'n gallu gweld bod hwn wedi cael 'i sbwylio'n barod yn y tŷ 'ma. Os daw e i'r Hafod chaiff e ddim llawer o faldod, fe alla i ddweud hynny wrthoch chi nawrl'

Winciodd Tomos Wiliam ar Gwen. Roedd y ddau'n gwybod yn iawn y byddai Arthur yn siŵr o gael pob math o faldod pe bai'n mynd at Catrin Puw a'i gŵr.

Eisteddodd Catrin wrth y bwrdd i fwyta basnaid o gawl a thipyn o'r bara gwenith roedd hi wedi'i bobi.

'Wel, edrych be sy yn yr amlen 'na 'te, Tomos,' meddai.

Tynnodd Tomos Wiliam gynnwys yr amlen allan. Gwelodd mai llythyr trwchus oedd yno, wedi'i sgrifennu ar sawl tudalen o bapur da. Ar ben pob tudalen roedd arbais – llun tarian â brân ddu, falch yr olwg, yn ei chanol.

'Darllen e!' meddai Catrin yn ddiamynedd. Ond roedd Tomos Wiliam yn teimlo'n anesmwyth

– yn euog. Roedd y gŵr ifanc wedi dweud . . . ond roedd Catrin yn mynnu clywed beth oedd cynnwys y llythyr cyn cymryd y baban. Aeth i eistedd mewn cadair wrth y ffenest, a dechrau darllen.

Dôl-y-brain
Sir Gaerfyrddin
Hydref 11eg 1838

Rwyf fi, Mary O'Kelly, yn sgrifennu'r llythyr hwn yn fy ngwely o dan anawsterau mawr iawn. Fi yw unig ferch Syr Henri Rhydderch o Blas Dôl-y-brain – y diweddar Syr Henri erbyn hyn, oherwydd bu farw fy nhad wythnos yn ôl o'r frech wen. A nawr rwyf finnau'n wael iawn o'r un clefyd, ac yn debyg o farw.

Cefais yr enw O'Kelly trwy briodi Shean O'Kelly o Ballymore yn Iwerddon, a hynny yn groes i ddymuniad fy nhad. Pan briodais a mynd i fyw yn Iwerddon gyda'm gŵr, dywedodd fy nhad nad oedd am fy ngweld yn Nôl-y-brain byth wedyn. Yn fuan ar ôl i mi fynd i fyw i Iwerddon fe ddechreuodd yr ymladd. Roedd pobl Iwerddon am gael gwared o'r Saeson o'u gwlad, ac roedd fy ngŵr yn un o'r rhai oedd yn arwain y 'rebels' a geisiodd yrru'r estroniaid o Iwerddon. Ond roedd y Saeson yn gryf iawn, ac ar ôl dwyn llawer o dir iddyn nhw eu hunain trwy ymladd, roedden nhw'n anfodlon iawn ei roi 'nôl i'r Gwyddelod. Yn yr ymladd chwerw a ddigwyddodd wedyn, fe gafodd fy ngŵr ei saethu'n farw, ar ôl iddo gael ei fradychu gan un o'i bobl ei hun. A dyna lle roeddwn i mewn gwlad ddieithr yn wraig weddw, ddigartref. (Roedd y Saeson wedi dwyn tir ac eiddo fy ngŵr.) Allwn i ddim mynd yn ôl i Gymru chwaith am fy mod wedi digio fy nhad.

Roedd teulu fy ngŵr yn garedig iawn tuag ataf, ond ar ôl colli Shean roeddwn yn hiraethu am fynd 'nôl i Gymru, ac i Ddôl-y-brain. Fe sgrifennais lythyr yn adrodd yr holl hanes wrth fy nhad, ac yn gofyn iddo faddau popeth a gadael i mi ddod adre.

Er i mi ddisgwyl a disgwyl am ateb oddi wrtho, ddaeth yr un gair. Yna, bedwar mis union ar ôl marwolaeth ei dad, cafodd Arthur, fy mab, ei eni. Nawr, er nad oedd fy nhad wedi ateb fy llythyr cyntaf, fe benderfynais fod rhaid i mi sgrifennu unwaith eto – er mwyn fy mab, a oedd wrth gwrs, yn etifedd stâd Dôl-y-brain, gan nad oes gen i frawd na chwaer. Ond aeth bron ddwy flynedd heibio heb unrhyw ateb oddi wrtho. Yna fe ddaeth llythyr – nid oddi wrth fy nhad, ond oddi wrth Ruth, fy hen nyrs pan oeddwn yn blentyn yn Nôl-y-brain. Roedd hi'n dweud yn ei llythyr fod fy nhad yn wael ac yn gofyn amdanaf.

Penderfynais groesi'r môr i Gymru ar unwaith. Daeth Arthur gyda mi, a Patrick, brawd ieuanga fy ngŵr, i ofalu amdanom ni'n dau.

Pan gyrhaeddais Dôl-y-brain gwelais fod fy nhad yn wael iawn. Roedd pobl eraill yn y tŷ. Roedd fy ewyrth, John Mansel, yno, gŵr Modryb Ann, chwaer fy nhad, a'i fab Harold. Sylweddolais ar unwaith nad oedd yr un o'r ddau yn falch iawn o'm gweld, a chyn bo hir, dyma fi'n deall pam! Roedd John Mansel wedi meddwl, gan fod fy nhad wedi fy ngyrru o Ddôl-y-brain, y byddai'r stad yn dod i Harold fel y perthynas agosaf ar fy ôl i, pan fyddai fy nhad farw. Ond – â 'nhad ar ei wely angau – roeddwn i wedi dod adre, ac i wneud pethe'n waeth, roedd gen i fab, a fyddai, efallai, yn ennill calon fy nhad ac yn etifeddu holl gyfoeth a thir Dôl-y-brain. Roedd golwg greulon iawn ar fy ewyrth pan ddywedais wrtho mai fy mab oedd y plentyn yn fy mreichiau.

Wedi mynd i stafell wely fy nhad cefais sioc i weld bod y diwedd yn agos. Ond gwenodd arnaf yn dyner, ac er na ddywedodd fawr ddim, roeddwn i'n gwybod ei fod o'r diwedd wedi maddau'r cwbwl i mi. Gofynnais iddo a oedd am weld ei ŵyr bach. Edrychodd yn wyllt arnaf. 'Paid â dod â'r etifedd mewn i'r stafell 'ma,' meddai, a'i lais am foment yn gryf. Ie, dyna'r union air a ddefnyddiodd e – 'yr etifedd.' Fore trannoeth y sylweddolais pam nad oedd fy nhad yn fodlon gweld ei ŵyr yn ei stafell wely. Roedd e'n gwybod bod y frech wen arno, a doedd e ddim am i Arthur gael y clefyd ofnadwy.

Pan ddaeth pawb i ddeall beth oedd ar fy nhad, doedd neb yn fodlon mynd yn agos ato. Am dridiau cyn ei farw dim ond fi a Ruth oedd yn gwmni iddo. Yna fe ddechreuais i fynd yn sâl. Dyna pryd y dechreuais i sgrifennu'r hanes yma. Wn i ddim a fydd e'n cyrraedd dwylo rhywun sydd ddim yn elyn i mi ai peidio. Fy holl ofid nawr yw beth a all ddigwydd i Arthur. Pan fu 'nhad farw, fe gymerodd John Mansel (allaf i ddim meddwl ei alw'n ewyrth) ofal o bopeth yn Nôl-y-brain. Mae e'n gwrthod gadael i Patrick ddod i'm gweld, ond, a dweud y gwir, rwy'n falch o hynny, rhag ofn iddo yntau gael y clefyd. Chaiff Ruth ddim dod chwaith, ond mae e wedi dod â rhyw hen wraig a'i hwyneb yn greithiau i gyd i edrych ar fy ôl. Mae hi wedi cael y frech wen ac wedi gwella. Mae honno'n pallu siarad â mi ac mae'n gwylio pob symudiad . . .

(Yn y fan yma roedd toriad yn y llythyr fel pe bai'r awdur wedi cael ei rwystro'n sydyn. Pan ail ddechreuodd yr hanes, roedd y llawysgrifen fân, daclus wedi newid – wedi mynd yn fawr ac yn anniben.)

'Mae'r sgrifen yn . . . y . . . dipyn yn annealladwy nawr, Catrin,' meddai Tomos Wiliam.

'Wyt ti'n meddwl y gelli di'i darllen hi?' Roedd ei llais yn crynu.

'Fe wna i 'ngore.' Plygodd eilwaith dros y papur.

. . . fe ddaeth y meddyg yma neithiwr. Dywedodd mai Patrick oedd wedi dod i'w mofyn. Felly mae Patrick yma o hyd – diolch i Dduw. Chaiff fy mhlentyn ddim cam tra bydd e yma . . . ond mae arna i ofn . . . os bydda i farw . . . dim ond Arthur fydd yn sefyll rhwng Harold Mansel a stad Dôl-y-brain, ac rwy'n nabod John Mansel yn ddigon da i wybod y bydde fe'n barod

i wneud unrhyw beth i ennill cyfoeth a theitl fy nhad. Os caf fi fyw – ac mae rhai yn gwella o'r frech wen – fe fydd popeth yn iawn. Ond . . .

Mae Ruth wedi dod o rywle. Wn i *ddim sut y llwyddodd hi i ddod ata i. Bendith arni – fe gaiff hi fynd â hwn rhag ofn na chaf fi ddim cyfle, a'r ewyllys. Mae llygaid Ruth yn goch . . .*

Mary O'Kelly

'Dyna'r cwbwl,' meddai Tomos Wiliam. Doedd dim un sŵn yn y stafell ond sŵn cyson yr hen gloc mawr yn y gornel. Roedd Arthur wedi llithro o gôl Gwen ar y sgiw, ac yn chwarae nawr â'r gath ar y llawr.

'O!' meddai Gwen, â dagrau lond ei llygaid.

'Dduw Mowr!' meddai Catrin Puw. 'Druan â hi! Pwy ddwedodd mai pobol dlawd yn unig sy'n gorfod diodde yn yr hen fyd 'ma? Dyna un wraig fonheddig a welodd ddigon o ofid!'

'Dôl-y-brain?' meddai Tomos Wiliam yn feddylgar. 'Dyna un o blasau mawr sir Gaerfyrddin – rwy i wedi clywed amdano. Ond dwi ddim yn gwybod yn iawn lle mae e chwaith. Ond rwy'n meddwl 'i fod e'n agos i dre Caerfyrddin.'

Plygodd dudalennau'r llythyr a'u rhoi'n ôl yn y waled.

'Wel, Catrin?' meddai wedyn. 'Beth wyt ti'n feddwl nawr?'

Ysgydwodd Catrin ei phen.

'Mae'r llythyr yn egluro'r cwbwl, rwy'n ofni, Tomos; er na lwyddodd y wraig fach i'w orffen e. Fe fynnodd y nyrs – y Ruth 'na – fynd i mewn ati, falle pan oedd John Mansel i ffwrdd yn rhywle, ac fe welodd mam y plentyn 'i chyfle – 'i chyfle ola falle – i roi'r llythyr iddi . . . a'r ewyllys – ewyllys yr hen Syr, mae'n debyg. Wedyn roedd y dyn ifanc – y Patrick O'Kelly 'ma – rywfodd neu'i gilydd wedi cael y llythyr. A dyma fe wedyn yn dwyn y plentyn ac yn dianc. Pam? Am 'i fod e'n ofni beth fydde'n digwydd iddo pe bai e'n aros rhagor yn y plas? Ie, debyg iawn. A phan gyrhaeddodd e 'ma roedden nhw bron â'i ddal e; a dyma fe'n rhoi'r un bach i ti i ofalu amdano. Ac mae e'n gadael y waled yn llawn arian, a'r llythyr, rhag ofn y bydde rhywbeth yn digwydd iddo fe, ond adawodd e ddim mo'r ewyllys? A yw hynny'n golygu bod y John Mansel 'na wedi dod o hyd iddi? Falle wir. Ac os yw e, wel, mae'n debyg y bydd hi'n anodd profi i bwy y mae Syr Henri Rhydderch wedi gadael y stad a'r arian . . .'

'Ti'n iawn, Catrin. Ac rwy'n gweld nawr ein bod ni mewn trwbwl . . .'

'Ydyn, Tomos, a Duw a ŵyr ble bydd diwedd yr holl helynt 'ma. Gwen, paid crio fel'na, 'merch i. Fel'na mae hi yn yr hen fyd 'ma weithie; mae'n llawn o ofid a thristwch, fel y dywedodd Mr Philips y pregethwr ddydd Sul diwetha. Mae mam yr un bach 'ma, mae'n debyg, wedi mynd – wedi marw o'r frech wen. Ond fe ofala i na chaiff y plentyn gam. Fe gaiff e ddod i'r Hafod, ac fe fydd Ifan a finne'n edrych ar 'i ôl e. Ond os na ddaw'r dyn ifanc – y Patrick 'na – 'nôl, dwi ddim yn gwybod beth i'w wneud wedyn, na'dw wir.'

'Gwen,' meddai Tomos Wiliam, 'rwy i wedi bod yn meddwl. Falle y bydde hi'n beth da tase ti'n mynd gyda dy fodryb i'r Hafod am rai dyddie. Beth wyt ti'n feddwl, Catrin? Hoffet ti 'i cha'l hi – i edrych ar ôl yr un bach 'ma nes bydd e wedi cartrefu gyda ti ac Ifan?'

'Os wyt ti'n fodlon, Tomos, fe fyddwn i'n falch o'i cha'l hi am dipyn. Mae'n amlwg fod y plentyn yn hoff iawn ohoni hi.'

'O'r gore, gwell i ti fynd i baratoi 'te, Gwen,' meddai Tomos Wiliam. Cododd Gwen y plentyn yn ei chôl ac aeth i'w stafell wely i wisgo ar gyfer y daith i'r Hafod.

Yna daeth syniad arall yn sydyn i ben Tomos Wiliam. 'Catrin,' meddai, 'wyt ti'n cofio i fi ddweud wrthot ti am y dyn 'na sy wedi bod yn gwylio'r tŷ 'ma, a'r bont?'

'Wel?'

'Wel, os bydd e'n eich gweld chi, a'r plentyn?'

'Rwy i wedi meddwl am hynny'n barod, Tomos. Rwy'n mynd i roi'r bachgen yn y fasged 'ma.'

'Yn *y fasged?'*

'Ie. Os oedd y dyn 'na'n gwylio, mae e wedi 'ngweld i'n dod 'ma â'r fasged fowr 'ma ar 'y mraich. Wel, fe gaiff e 'ngweld i'n mynd o 'ma hefyd â'r un fasged ar 'y mraich, Tomos. Felly fydd e ddim yn amau dim.'

A dyna sut aeth etifedd bach stad Dôl-y-brain o fwthyn tollborth Pont-y-glyn i fferm yr Hafod draw ar lethrau un o fynyddoedd y Preseli – mewn basged ar fraich Catrin Puw.

Pennod 5

Aeth pythefnos heibio, a Tomos Wiliam ar ei ben ei hun yn ei fwthyn yn ymyl y ffordd fawr, yn gofalu agor a chau'r glwyd i'r teithwyr oedd yn mynd heibio'r ffordd honno. Byddai'r coets y post a'r Goets fawr yn dod yn eu tro, teithwyr dieithr o bell mewn cerbydau ysgafn, cyflym, a rhai teithwyr mewn ceirt a gwageni trwm. Byddai Tomos Wiliam yn adnabod rhai o'r rheini ac yn cael sgwrs ag ambell un.

Bob nos ar ôl iddi dywyllu ac yntau'n eistedd wrth dân ei fwthyn, byddai'n disgwyl clywed sŵn carnau ceffyl, a llais y dyn ifanc hwnnw a'r clogyn du yn gweiddi y tu allan.

Ond er gwaetha'r disgwyl, ddaeth y dyn ifanc ddim yn ei ôl. Roedd e wedi diflannu fel pe bai'r ddaear wedi ei lyncu. Tybed a fyddai'n dod y ffordd honno byth eto? Tybed a oedd e wedi boddi wrth geisio croesi'r afon? Yna ymhen pythefnos, daeth Gwen yn ei hôl o'r Hafod. Roedd y bachgen bach, meddai hi, wedi cartrefu'n iawn yno, ac roedd yr hen Ifan Puw wedi dotio arno! Byddai'n eistedd gydag e bob nos nes byddai wedi mynd i gysgu, a hyd yn oed ar ôl i'r plentyn gau ei lygaid, byddai Ifan yn dal i eistedd yn dawel wrth ei wely, yn ei wylio'n anadlu ac yn symud weithiau yn ei gwsg. Wrth glywed Gwen yn adrodd yr hanes hwn, fe gofiodd Tomos Wiliam eto am y plentyn hwnnw oedd wedi'i eni i Catrin ac Ifan, ac oedd wedi marw. Roedd e'n gwybod yn iawn beth oedd yng nghalon yr hen ffermwr wrth wylio'r plentyn yn cysgu yn ei wely – hiraeth am blentyn arall, a fyddai, pe bai wedi cael byw, wedi tyfu i gymryd gofal o fferm yr Hafod pan fyddai Ifan wedi mynd yn hen. Roedd Ifan yn caru'r Hafod. Roedd e wedi cael y lle ar ôl ei dad. Ond pwy fyddai yno ar ei ôl e?

Roedd y plentyn wedi cymryd at Ifan hefyd, meddai Gwen, a doedd dim yn well ganddo na chael ei daflu i fyny ac i lawr ar ben-glin yr hen ffermwr caredig. Roedd Betsi'r ast ddefaid wedi cymryd at yr un bach hefyd, er ei fod yn hoff o dynnu ei chlustiau a'i chynffon. A dweud y gwir, doedd hi ddim mor barod ag arfer i adael y tŷ i fynd gydag Ifan ar ôl y defaid, am fod hynny'n golygu gadael y plentyn!

Deallodd Tomos Wiliam mai yn groes i'w graen y gadawodd Gwen yr Hafod hefyd, i ddod tua thre at ei thad! Roedd y bachgen bach amddifad wedi mynd yn dipyn o ffefryn gan bawb.

Roedd Gwen wedi dod ag un o'r papurau pumpunt oedd yn y waled gyda hi o'r Hafod.

(Gorfododd Tomos Wiliam i'w chwaer fynd â'r waled gyda hi pan aeth hi â'r baban. Roedd hi wedi protestio, ond roedd e'n benderfynol mai gyda'r plentyn y dylai'r waled fod bob amser.)

Ond nawr roedd Modryb Catrin wedi anfon un papur pumpunt gyda Gwen gan ddweud wrth Tomos Wiliam fynd i'r dre i brynu brethyn i wneud dillad i'r un bach.

A'r bore Llun canlynol dyma Tomos Wiliam yn dechrau'i ffordd i'r dre, gan adael Gwen i ofalu am y tollborth. Yn ei boced roedd y papur pumpunt, ac wrth fynd ar ei daith, meddyliodd nad oedd wedi cario cymaint o arian yn ei boced erioed o'r blaen. Dechreuodd feddwl am ladron pen-ffordd, ond ysgydwodd ei ben a llithrodd gwên dros ei wyneb. Fyddai neb yn debyg o feddwl bod dyn wedi'i wisgo mor gyffredin ag e yn cario papur pumpunt.

Wrth fynd i lawr at Bont-y-glyn gwelodd fod dyn yn sefyll ar y bont, yn edrych i lawr i'r dŵr. Roedd ei gefn at Tomos Wiliam ac allai e ddim gweld ei wyneb. Wnaeth y dyn ddim troi ei ben o gwbwl pan oedd e'n cerdded heibio, dim ond dal i edrych i lawr ar y llif. Peth od na fyddai wedi troi ei ben i ddweud, 'Sut y'ch chi heddi?' neu rywbeth, meddyliodd Tomos Wiliam. Beth oedd yn bod ar y creadur? Fe wnaeth y digwyddiad iddo deimlo rhyw anesmwythyd bach. Ond erbyn hyn roedd e wedi mynd ymlaen heibio i'r bont ac wedi cyrraedd y tro yn y ffordd. Dyna pryd y taflodd un cip dros ei ysgwydd. Roedd y dyn yn pwyso ar y bont o hyd, ond nawr roedd wedi troi ei ben ac roedd e'n edrych ar Tomos Wiliam.

Ar ôl mynd am ryw ddwy filltir fe ddechreuodd Tomos Wiliam feddwl – neu ddychmygu – fod rhywun yn ei ddilyn. Ac eto doedd dim rheswm ganddo gredu hynny, oherwydd doedd e ddim wedi gweld enaid byw er pan welodd e'r dyn hwnnw ar Bont-y-glyn. Byddai'n taflu golwg dros ei ysgwydd yn aml, ond bob tro doedd dim sôn am neb y tu ôl iddo.

* * *

Pan gyrhaeddodd y dre roedd syched arno, ac aeth i mewn i'r Red Cow i gael diod. Pan ddaeth allan ymhen tipyn fe aeth i lawr y stryd at siop Daniel Dafis y Teiliwr – siop ddillad enwog yn y dre; roedd Tomos Wiliam wedi bod yno o'r blaen fwy nag unwaith, ac roedd e'n nabod y perchennog yn dda.

Roedd Daniel Dafis y tu ôl i'r cownter – dyn bach, twt a llinyn mesur am ei wddf a sbectol ar ei drwyn.

Roedd Tomos Wiliam yn ddigon balch o weld nad oedd yr un cwsmer arall yn y siop ar y pryd.

'Helô 'na! Wel, wel, Tomos Wiliam, mae tipyn o ddŵr wedi llifo dan y bont er pan fuoch chi ffor' hyn o'r blaen, on'd oes e?' meddai'r siopwr gan edrych dros ei sbectol.

'Oes mae e, Mr Dafis; rwy'n gorfod gofalu am y glwyd – mae'r gwaith yn 'y nghadw i'n gaeth iawn. Does dim posib cael cyfle i fynd i ffair na dim. Sut mae pethe gyda chi?'

'O, yn iawn, fachgen, er y gallwn i neud y tro â thipyn rhagor o fusnes y dyddie hyn.'

'Mae 'na dlodi mowr yn y wlad, Daniel Dafis – does dim arian gan bobol . . .'

Ysgydwodd y siopwr ei ben. 'Eitha gwir, Tomos Wiliam. Y . . . oes 'na rywbeth y galla i' neud . . .?'

'Wel, mae arna i eisie tipyn o frethyn.'

'A! Tipyn o frethyn cartre, iefe, Tomos? Mae gen i gorn da fan hyn wedi'i weu yn y Cwm Du. Ry'ch chi wedi clywed am wehyddion Cwm Du siŵr o fod?'

'Do, wrth gwrs. Ond . . . y . . . ro'n i wedi meddwl cael rhywbeth mwy ffein na brethyn cartre'r tro 'ma, Daniel Dafis.'

Cododd y siopwr ei aeliau.

'Popeth yn iawn, Tomos Wiliam, ond mae'r brethyn ffein 'ma o bant yn costio tipyn mwy, cofiwch.' Aeth i nôl ysgol fach o gornel y stafell a dringodd honno i gyrraedd y silff uchaf ar y wal. Tynnodd ddau rolyn o frethyn i lawr a'u taflu ar y cownter. Tynnodd Tomos Wiliam ei law dros y brethyn llyfn, costus. Lliw llwyd, bonheddig oedd un a'r llall yn rhyw fath o wyrdd tywyll. Hoffodd y brethyn llwyd ar unwaith. 'Dyma'r brethyn perffaith i Arthur bach yn yr Hafod 'na,' meddai wrtho'i hunan.

'Hwn amdani, Daniel Dafis,' meddai'n uchel, gan roi ei law eto ar y brethyn llwyd.

Unwaith eto edrychodd y siopwr dros ei sbectol ar Tomos Wiliam.

'Wel . . . y . . . wir, Tomos, fe fyddwch chi'n grand iawn mewn dillad o'r brethyn 'ma, byddwch siŵr.'

'Nid i fi ro'n i eisie'r brethyn.'

Ar y gair agorodd y drws a cherddodd dyn i mewn i'r siop. Doedd Tomos Wiliam ddim yn ei adnabod, ac eto roedd rhywbeth yn ei gylch oedd yn gyfarwydd.

'Ro'n i'n meddwl wir,' meddai'r hen siopwr. 'Ro'n i'n methu'n lân eich gweld chi mewn siwt o hwn, Tomos.'

Edrychodd Tomos Wiliam braidd yn syn arno. Doedd e ddim yn hoffi'r awgrym nad oedd e'n ddigon da i wisgo siwt o'r brethyn llwyd. Ond roedd e'n gwybod yn iawn beth oedd yr hen siopwr yn 'i feddwl. Fe fyddai rhywun o gefn gwlad fel fe *yn* edrych yn od mewn unrhyw beth heblaw am siwt o frethyn cartre garw.

Gwelodd Daniel Dafis yn tynnu ei linyn mesur oddi am ei wddf. 'Y . . . teirllath, Tomos?'

Doedd Catrin ddim wedi dweud faint oedd eisiau arni. A oedd angen teirllath? Taflodd lygad ar y dieithryn oedd yn disgwyl ei dro. Roedd hwnnw'n edrych yn graff arno.

'Ie, teirllath, Daniel Dafis,' meddai. Dechreuodd y siopwr fesur. Yna cydiodd mewn siswrn mawr o'r drôr o dan y cownter. Roedd Tomos Wiliam yn teimlo'n anesmwyth iawn. Roedd e newydd sylweddoli y byddai'n rhaid iddo dynnu'r papur pumpunt allan i dalu. Byddai'n well ganddo fod wedi gallu gwneud hynny cyn i'r dyn dieithr 'ma ddod i mewn i'r siop.

'Dyna chi 'te, Tomos. Oes rhywbeth arall nawr?'

'Y . . . na . . . y . . . faint sy arna i i chi?'

'Dwy bunt ond pedwar swllt, Tomos, os gwelwch chi'n dda.'

Tynnodd Tomos Wiliam y papur o'i boced a'i roi i'r dyn bach. Edrychodd hwnnw'n syn arno.

'Papur pum punt, Tomos!'

'Ie.' Roedd e'n gallu teimlo'i wyneb yn llosgi o dan ei farf drwchus. Beth oedd yn bod ar y dyn? meddyliodd. A oedd e'n credu ei fod wedi ei ddwyn?,

'Fyddwn ni ddim yn trafod y papure 'ma'n amal,' meddai'r teiliwr. A dweud y gwir, roedd Daniel Dafis yn llawer mwy cyfarwydd â chael ei dalu mewn arian mân – arian wedi'i grynhoi'n galed am fisoedd maith. Anaml iawn y byddai ffermwyr cefnog yr ardal yn dod i'r siop â phapur pumpunt. Dim ond gwŷr bonheddig y Cilgwyn a Llysnewydd oedd yn medru tynnu papurau purnpunt o'u pocedi heb achosi syndod.

Roedd Tomos Wiliam yn gwingo. Roedd e'n gwybod bod y siopwr bach yn ei ffordd fusneslyd yn disgwyl iddo ddweud wrtho sut roedd e wedi llwyddo i ddod yn berchen papur pumpunt, ac i bwy roedd e wedi prynu'r brethyn llwyd.

'Os paciwch chi'r brethyn 'te, Daniel Dafis,' meddai'n sychlyd.

'Wrth gwrs. A'r newid 'nôl – rhaid peidio anghofio hwnnw. Hym?'

Roedd y siopwr wedi deall o'r diwedd nad oedd Tomos Wiliam am iddo holi ei fusnes. Daliodd y papur pumpunt i fyny at y golau o'r ffenest, ac edrychodd yn graff arno. Unwaith eto teimlodd Tomos Wiliam ei hun yn gwrido a diolchodd fod ganddo farf lawn. Roedd y siopwr yn amau a oedd y papur yn un iawn, neu'n arian ffug!

Wedi cael ei newid, cydiodd Tomos Wiliam yn ei barsel a mynd am y drws. Edrychodd i weld ble'r oedd y dyn oedd wedi bod yn aros ei dro – ond doedd dim sôn amdano yn unman. Ble'r oedd e wedi mynd? Peth rhyfedd iawn 'i fod e wedi mynd allan o'r siop heb ofyn am ddim!

Ar ôl gadael siop y teiliwr fe aeth Tomos Wiliam i brynu rhyw fân bethau eraill. Wedyn aeth 'nôl i'r Red Cow i gael pryd o fwyd, gan ei fod yn teimlo'n llwglyd iawn ar ôl teithio mor bell. Ac wrth gwrs, roedd hi'n hwyr yn y prynhawn erbyn hyn hefyd, ac yn bryd iddo gael rhywbeth i'w fwyta.

⋆ ⋆ ⋆

Roedd hi wedi nosi ers tipyn bach pan gerddodd Tomos Wiliam dros Bont-y-glyn ar ei ffordd tuag adre. Ar ôl cerdded bron bedair milltir ar ddeg i gyd i'r dre a 'nôl roedd e wedi blino ac yn edrych ymlaen nawr at gael gorffwys wrth y tân ei fwthyn. Cyn bo hir nawr – ar ôl dringo'r rhiw o'r bont – fe fyddai'n gallu gweld golau yn y ffenest, a chyflymodd ei gam wrth feddwl am y pryd o fwyd blasus a fyddai gan Gwen yn disgwyl amdano.

Ond pan ddaeth i ben y rhiw doedd dim golau i'w weld yn y ffenest fan draw. Ar unwaith fe deimlodd yn anesmwyth. Fyddai Gwen ddim . . . Dechreuodd redeg, er bod ei draed yn boenus ar ôl cerdded mor bell. Daeth at y drws. Roedd hwnnw led y pen ar agor. Ond roedd y tŷ yn ddistaw ac yn dywyll.

'Gwen!' Dim ateb.

Rhuthrodd i mewn i'r gegin. Roedd tân braf yn llosgi yn y grat. Ond doedd dim sôn am Gwen yn unman. Chwiliodd am gannwyll o'r silff ben tân. Rhoddodd ei law ar un ar unwaith. Gwthiodd ei blaen yn ffyrnig i'r tân a chydiodd fflam yn y pabwyr. Yng ngolau gwan y gannwyll edrychodd o'i gwmpas. Roedd y llanast rhyfeddaf yn y gegin, a oedd yn arfer bod mor gymen.

Roedd llestri wedi torri'n deilchion ar y llawr, a chynnwys pob drôr a chwpwrdd wedi'i daflu yma a thraw ar hyd y lle. Edrychai'r cyfan fel pe bai corwynt nerthol wedi chwythu trwy'r bwthyn. Gwelodd fod un drôr – drôr y seld roedd e'n ei gadw dan glo bob amser – wedi'i dorri'n yfflon. Dyna'r drôr lle roedd y waled werthfawr a'r canpunt ynddi wedi bod yn gorwedd bythefnos ynghynt.

'Gwenno!' gwaeddodd yn uchel. Dim ond y distawrwydd llethol. Ac roedd e'n ddistawrwydd gwahanol i arfer . . . yna sylweddolodd fod yr hen gloc mawr wedi stopio.

Aeth allan i'r cefn. Gwelodd Gwen wedyn, yn gorwedd ar y llawr. Beth oedd wedi digwydd iddi? A oedd hi'n fyw? Rhoddodd y gannwyll ar y llawr yn ei hymyl. Gwelodd ar unwaith ei bod yn anadlu.

'Gwenno!' Gwelodd amrannau ei llygaid yn crynu, yna agorodd ei llygaid ac edrychodd i'w wyneb. Yna cydiodd yn dynn yn ysgwyddau ei thad.

''Nhad! Yr hen ddyn 'na?'

'Dyn? Pwy oedd e, 'nghariad i?'

'Y dyn 'na â'r cadach am ei wyneb!' Roedd ei llais yn llawn dychryn.

'Mae e wedi mynd, Gwen. Dim ond fi sy 'ma nawr.'

'Fe glywes i sŵn traed . . . y . . . ro'n i'n meddwl

yn siŵr mai chi oedd wedi dod 'nôl . . . ro'n i'n paratoi swper. Ond pan edryches i . . . fe weles y dyn 'ma a'r peth gwyn 'ma ar 'i wyneb ac roedd ffon dew gydag e yn 'i law.'

Aeth cryndod trwy ei chorff wrth gofio'r hyn oedd wedi digwydd. Cydiodd Tomos Wiliam yn dynnach ynddi.

'Ac roedd 'i lyged e, 'Nhad, yn disgleirio . . . Dwi ddim yn cofio . . . fe redes i mas i'r cefn . . . ac fe ddaeth ar fy ôl i â'r ffon . . . rwy'n cofio teimlo 'nghoese i'n mynd yn wan ac fe aeth popeth yn dywyll . . .

Wedi llewygu roedd hi felly, meddyliodd Tomos Wiliam, a theimlodd beth rhyddhad nad oedd y dihiryn wedi'i tharo â'r ffon. Cododd hi'n dyner ar ei thraed ac aeth â hi yn ôl i'r gegin a'i gosod ar y sgiw yn ymyl y tân.

'Gwen fach,' meddai, gan edrych a gwmpas y stafell, 'mae'n gofidie ni wedi dechre. Diolch i Dduw dy fod di'n iawn, 'y nghariad i.'

* * *

Y noson honno roedd Tomos Wiliam yn troi a throsi yn ei wely, yn methu'n lân â chysgu, er ei fod wedi blino'n arw ar ôl ei daith bell i'r dre ac yn ôl.

Dyn yn hoffi bywyd tawel oedd Tomos Wiliam. Er nad oedd ofn neb arno, doedd dim yn waeth ganddo na chweryl o unrhyw fath.

O dro i dro byddai dynion (neu wragedd) od yn dod at y tollborth – pobl a fyddai'n barod i ddadlau ynglŷn â'r tâl am fynd trwodd neu rywbeth felly. Byddai Tomos Wiliam bob amser yn siarad yn dawel ac yn gwrtais â'r bobl hynny. Roedd un peth wedi bod yn ei flino'n arw ers iddo ddechrau ar ei swydd fel ceidwad y tollborth, a hwnnw oedd y ffaith fod y rhan fwyaf o ffermwyr tlawd yr ardal yn ddig iawn wrth y glwyd fawr ar draws y ffordd. Teimlo roedden nhw fod y tâl am fynd trwyddi yn ormod i bobl mor dlawd â nhw ei dalu. Roedden nhw'n gwybod bod yr arian roedden nhw'n ei dalu wrth y glwyd yn mynd i gadw a gwella'r ffordd fawr yn y rhan honno o'r wlad. Ond rywfodd roedd y ffordd yn dal yn garegog a thyllog ar waetha'r holl arian oedd yn cael ei gasglu wrth y tollbyrth, ac roedd y ffermwyr yn teimlo'n siŵr fod yr arian yn mynd i boced y gwŷr bonheddig oedd wedi codi'r tollbyrth – ac nid i wella'r ffyrdd. Ac roedd Tomos Wiliam yn gwybod bod y ffermwyr a'r gwŷr bonheddig yn credu ei fod e hefyd yn cadw tipyn o'r arian iddo'i hunan. Roedd e'n gwybod bod yr hen Daniel Dafis yn y siop y prynhawn hwnnw'n meddwl mai trwy gadw arian y tollborth iddo'i hunan roedd e wedi gallu tynnu papur pumpunt o'i boced i dalu am y brethyn.

Am y rhesymau hyn i gyd, doedd Tomos Wiliam erioed wedi bod yn hapus wrth ei waith fel ceidwad y tollborth. A nawr roedd bywyd yn y bwthyn bach ar fin y ffordd fawr wedi mynd yn annifyr iawn. Roedd dynion wedi bod yn ei dŷ yn erbyn ei ewyllys ac wedi bod yn gas wrtho; roedd dyn neu ddynion wedi bod yn gwylio'r bwthyn ers dyddiau. A heno roedd dyn â mwgwd am ei wyneb wedi torri i'r tŷ ac wedi dychryn Gwen. Roedd y dihiryn hefyd wedi achosi difrod mawr trwy dorri'r llestri a difetha'r dodrefn yn y tŷ.

A nawr roedd Tomos Wiliam yn teimlo ei fod wedi cael digon. Roedd am roi'r swydd yn ôl a symud i ardal arall i ailddechrau byw. Doedd hi ddim yn deg â Gwen i aros rhagor yn y bwthyn. Ei ddyletswydd e oedd gofalu am Gwen, ac roedd e'n teimlo'n ddig wrtho'i hunan am iddo fynd i'r dre a'i gadael wrthi'i hunan.

Dechreuodd feddwl eto am y dyn â'r mwgwd oedd wedi torri i mewn i'r tŷ. Pwy oedd e tybed? Ai un o weision John Mansel? Neu ai lleidr cyffredin wedi torri i mewn er mwyn dwyn oedd e?

Aeth ei feddwl yn ôl i'r siop ddillad yn y dre ac at y dyn hwnnw oedd wedi dod i mewn a mynd allan heb brynu dim. Cofiodd hefyd am y dyn oedd yn pwyso ar Bont-y-glyn pan basiodd ar ei ffordd i'r dre ac am y teimlad oedd ganddo ar y daith fod rhywun yn ei ddilyn. Sylweddolodd wedyn mai'r dynion oedd yn ceisio dod o hyd i Arthur a Patrick O'Kelly, oedd yn gyfrifol, er na allai brofi dim. Rhaid mai gwas John Mansel oedd wedi'i ddilyn i'r dre, ac wedi'i weld yn newid y papur pumpunt. Ac wedi gweld hynny, rhaid mai fe oedd wedi mynd 'nôl nerth ei draed i'r bwthyn i edrych a oedd yno ragor o bapurau tebyg, neu unrhyw wybodaeth am y plentyn. Roedd Tomos Wiliam yn siŵr mai dyna oedd yr ateb i'r dirgelwch.

Y noson honno cyn mynd i gysgu roedd Tomos Wiliam wedi dod i ddau benderfyniad pwysig. Roedd e'n mynd i adael tollborth Pont-y-glyn ar unwaith, ac roedd e'n mynd i yrru Gwen at ei chwaer i'r Hafod. Wedyn byddai'n chwilio am waith arall.

Ond cyn hynny roedd e'n bwriadu mynd i Gaerfyrddin i chwilio am blas Dôl-y-brain, ac roedd e'n mynd i ddefnyddio gweddill yr arian o'r bumpunt i'w gadw'n fyw nes byddai wedi darganfod beth yn hollol oedd wedi digwydd yn y plas er pan fu farw Syr Henri Rhydderch.

Pennod 6

Ar ôl rhoi ei swydd yn ôl, gwerthu ei ddodrefn, a gwneud yn siŵr fod Gwen yn saff gyda'i chwaer yn yr Hafod, aeth Tomos Wiliam ar ei daith i dre Caerfyrddin. Dywedodd wrth Catrin ei chwaer ei fod yn bwriadu mynd i sir Gaerfyrddin – i'r gweithfeydd glo i edrych am waith. Doedd hynny ddim yn gelwydd oherwydd ar ôl treulio rhai dyddiau yng Nghaerfyrddin yn gwneud ymholiadau roedd e'n bwriadu trio'i siawns yn y gweithfeydd glo. Roedd e wedi clywed bod cyflogau da'n cael eu talu yno i unrhyw un oedd yn barod i golli tipyn o chwys dan ddaear.

Penderfynodd mai gwell oedd peidio â dweud yr un gair am ei fwriad i ddarganfod sut oedd pethau yn Nôl-y-brain.

* * *

Roedd hi'n dechrau nosi pan gyrhaeddodd Gaerfyrddin. Aeth i mewn i'r gwesty cyntaf a welodd ac eistedd wrth fwrdd a galw am fwyd a diod. Roedd e wedi blino fel pren a dwy filltir olaf y daith i'r dre wedi teimlo fel deg.

Edrychodd o gwmpas cegin fawr y dafarn a gwelodd fod y lle'n lân a chysurus yr olwg. Gan ei bod hi'n gynnar yn y nos doedd fawr neb o gwmpas. Ond roedd y perchennog yn ddyn siaradus.

'Ydych chi wedi teithio 'mhell, syr?' gofynnodd.

'O sir Benfro,' atebodd Tomos Wiliam. 'Hoffwn i aros yma heno a chael pryd o fwyd, os yn bosib.'

'Cewch ar bob cyfri. Fe gaiff un o'r morynion ddangos eich stafell wely i chi yn nes ymlaen.'

'Diolch. Rwy'n meddwl mynd i gysgu'n weddol gynnar.'

'Wrth gwrs, syr. Fydd y pryd bwyd ddim yn hir nawr.'

Roedd yna dawelwch am funud. Yna penderfynodd Tomos Wiliam ddechrau holi – gan ddweud tipyn o gelwydd yr un pryd.

'Tybed a allech chi ddweud wrtha i ble mae Plas Dôl-y-brain?' gofynnodd.

'Dol-y-brain? Medra, wrth gwrs. Dyw e ddim mwy na rhyw dair milltir o 'ma.'

'A!' meddai Tomos Wiliam. 'Mae un o'r morynion yn perthyn i mi, ac ro'n i'n meddwl – gan 'mod i yn y cyffinie – y gallwn i alw i'w gweld hi fory.'

'O ie?' meddai'r tafarnwr. 'Ydy'ch perthynas chi wedi bod 'na'n hir?'

'O, ydy, rwy'n meddwl 'i bod hi wedi bod yna ers sawl blwyddyn.'

'Roedd hi 'na gyda'r hen Syr, 'te?'

'Syr Henri Rhydderch, ontefe? Oedd.'

'Mae hi wedi gweld tipyn o newid 'te, debyg iawn.'

'Beth y'ch chi'n feddwl?'

'O, mae pethe wedi newid tipyn tua'r plas 'na wedi i'r hen Syr farw, yn ôl y sôn.'

'O?'

'Ydyn. Neithiwr roedd Watcyn, hen arddwr y plas, mewn fan hyn. Roedd e'n dweud 'i fod e wedi gadel echdoe ar ôl cael ffrae gyda'r dyn newydd 'na sy'n rhedeg y lle – Mansel. Roedd yr hen Watcyn wedi bod ugain mlynedd gyda'r hen Syr, medde fe. Mae'n debyg fod y dyn newydd 'ma'n ceisio cael gwared o'r rhan fwya o'r gweision a'r morynion oedd gyda'r hen Syr. Ydych chi'n siŵr fod eich perthynas chi yno o hyd?'

'Na, alla i ddim bod yn siŵr; dwi ddim wedi clywed oddi wrthi ers tro.'

'Wel, fe gewch chi weld fory. Croesi afon Tywi a 'mlaen wedyn am ryw dair milltir ar ffordd Cydweli – fe all unrhyw un ddweud y ffordd wrthoch chi wedyn.'

'Diolch.' Ac ar y gair daeth morwyn fach â phryd o fwyd i Tomos Wiliam.

* * *

Fore trannoeth cerddodd Tomos Wiliam am dipyn o gwmpas strydoedd Caerfyrddin. Roedd mewn penbleth.

Cyn codi o'i wely y bore hwnnw roedd syniad gwyllt wedi dod i'w ben. Os oedd John Mansel yn cael gwared â nifer o weision a morynion – y rhai oedd wedi bod gyda'r hen Syr – beth petai e'n mynd i'r plas i drio am le un ohonyn nhw? Roedd e bron marw eisiau gweld y plas enwog oedd yn eiddo – a dweud y gwir – i'r plentyn roedd e a Gwen wedi bod yn gofalu amdano yn eu bwthyn. Byddai wrth ei fodd yn cael mynd i'r plas a cherdded o gwmpas ei neuaddau mawr. Swydd garddwr oedd yr unig swydd roedd Tomos Wiliam yn teimlo y gallai fynd amdani. Garddwr oedd ei dad – ar stad Walter Beynon, Llysmaen, yn sir Benfro, ac roedd e wedi gwylio'i dad, ac wedi helpu droeon i gadw'r gerddi a'r lawntiau'n daclus. Ond chwerthin am ben y syniad o fynd i Ddôl-y-brain i ofyn am waith wnaeth Tomos Wiliam wrth ei frecwast yn y dafarn y bore hwnnw. Byddai John Mansel neu un o'i weision yn siŵr o'i adnabod fel ceidwad y tollborth ar unwaith.

Ond wrth iddo edrych i mewn trwy ffenest un o siopau mawr y dre, roedd y syniad wedi mynnu dod 'nôl. Yng ngwydr y ffenest gallai weld ei lun ei hunan yn glir. Beth petai'n siafio ei farf fawr, gochlyd? Fyddai neb yn ei adnabod wedyn. Cofiodd y stori am Jeremeia'r gof slawer dydd.

Byddai ei dad yn adrodd lawer gwaith fel roedd y dyn cellweirus hwnnw wedi cael dillad newydd un tro, ac yn penderfynu'n sydyn siafio'i farf fawr yr un pryd. Yna aeth i'r capel fore Sul ac eistedd yn ymyl ffrind iddo, ond heb ddangos ei fod yn ei adnabod. Er iddo daflu ambell gip arno yn ystod y cwrdd, doedd ganddo ddim syniad pwy oedd y dyn 'dieithr' oedd wedi eistedd yn ei ymyl!

Tynnodd Tomos Wiliam ei law trwy ei farf drwchus ei hun. Roedd yn hoff iawn ohoni. Roedd hi wedi bod gydag e ers blynyddoedd ac yn gwybod y byddai'n teimlo'n rhyfedd iawn hebddi. Efallai y byddai'n teimlo'n oer hefyd, ac yn cael annwyd.

Yna'n sydyn trodd oddi wrth ffenest y siop a cherdded at siop y barbwr, oedd â pholyn coch a gwyn uwchben y drws. Aeth i mewn i'r siop. Doedd neb yno ond y barbwr ei hun – dyn tenau, llwyd fel corff, a hwnnw'n cnoi baco'n brysur. Dywedodd Tomos Wiliam ei fod am siafio'i farf a thorri tipyn o'i wallt. Rhoddodd y barbwr e i eistedd mewn cadair o flaen drych â chrac mawr ynddo.

'Hym,' meddai, gan fodio'r farf, 'mae hi wedi tyfu'n gryf.'

Yna poerodd sudd baco o'i geg i'r grat â sŵn mawr.

Cydiodd mewn siswrn a dechreuodd ar ei waith. Yn y drych gallai Tomos Wiliam weld cudynnau mawr o'i farf yn syrthio i'r llawr. Cyn bo hir roedd ei wyneb yn edrych fel cefn dafad newydd ei chneifio. Roedd y newid mawr wedi dechrau. Yna, ar ôl poeri i'r grat unwaith eto, aeth y barbwr i'r cefn a daeth 'nôl â bowlen fechan o ddŵr poeth. Yna cydiodd mewn rasal loyw o'r silff yn ymyl y drych. Roedd strapen ledr, lydan yn hongian wrth y silff, a nawr tynnodd y rasal i fyny ac i lawr ar hyd honno er mwyn cael min da arni. Wedyn rhoddodd y rheiny i lawr a chymryd brws siafio a sebon yn ei ddwy law. Cyn bo hir, roedd wyneb Tomos Wiliam yn wyn gan wablin sebon trwchus. Yna cydiodd y barbwr yn y rasal unwaith eto. Gwingodd gan boen cyn gynted ag y dechreuodd y barbwr ei siafio, a heb yn wybod iddo'i hunan fe geisiodd dynnu'r llaw oedd yn dal y rasal oddi ar ei wyneb.

'Beth sy'n bod?' gofynnodd y barbwr.

'Y . . . dim,' meddai Tomos Wiliam, ''mla'n â chi.' Ac ymlaen yr aeth y barbwr. Ond erbyn hyn roedd Tomos Wiliam wedi cyfarwyddo â'r boen. Caeodd ei lygaid yn dynn er mwyn gallu ei diodde'n well. Gallai glywed sŵn y rasal finiog yn torri'i farf styfnig. roedd e'n dychmygu bod croen ei wyneb yn glwyfau i gyd, ond pan agorodd ei lygaid eto, fe welodd fod ei groen yn llyfn ac yn lân, ac yn sgleinio ar ôl y dŵr a'r sebon.

Yna roedd y barbwr wedi gorffen. Cododd Tomos Wiliam o'i gadair ac aeth yn nes at y drych.

Edrychodd yn syn arno'i hunan – fyddai Gwen ei ferch, na'i chwaer Catrin yn ei adnabod y funud honno. Yn wir, roedd e'n cael ffwdan ei adnabod ei hun; roedd e'n teimlo ei fod yn edrych ar wyneb rhywun arall – rhyw ddieithryn – yn y drych. Talodd y barbwr am ei waith ac aeth allan unwaith eto i'r dref.

★ ★ ★

Roedd hi'n ddau o'r gloch y prynhawn pan ddringodd Tomos Wiliam y grisiau mawr oedd yn arwain at ddrws derw, crand Dôl-y-brain. Doedd neb o gwmpas a chafodd amser i weld sut le oedd e cyn canu'r gloch. Roedd yn lle hardd ac urddasol iawn, ac roedd iorwg yn tyfu dros ei furiau o'r llawr hyd y bondo. Nawr, roedd dail yr iorwg yn goch fel gwaed ac yn edrych yn dlws dros ben. Roedd e wedi sylwi ar y gerddi wrth ddod i fyny'r lôn, ac yn gallu gweld, wrth yr olwg gymen a glân oedd arnyn nhw, fod yr hen Watcyn wedi gofalu'n dda amdanyn nhw.

Canodd y gloch.

Ymhen hir a hwyr daeth merch ifanc i agor y drws. 'Ie?' meddai gan lygadu Tomos Wiliam.

'Y . . . rwy i wedi clywed bod swydd garddwr yn mynd yma ac rwy i wedi dod i weld os oes siawns i mi gael . . . '

'Gwell i chi ddod mewn,' meddai'r forwyn ar ei draws.

Aeth Tomos Wiliam i'r plas ar ei hôl a dod at neuadd hardd.

'Fe ddweda i wrth Mr Mansel,' meddai'r forwyn. 'Fe ddylsech chi fod wedi mynd i'r drws cefn, cofiwch.'

Cyn pen fawr o dro fe ddaeth y ferch 'nôl.

'Dewch gyda fi,' meddai.

Arweiniodd Tomos Wiliam ar hyd coridor llydan. Stopiodd wrth ddrws a churo. Clywodd Tomos Wiliam lais cryf yn gweiddi, 'Dewch!' Y funud nesaf roedd yn sefyll o flaen John Mansel, y dyn â'r llygaid creulon a welodd ddiwethaf wrth y glwyd yn ymyl Pont-y-glyn.

Am foment edrychodd John Mansel arno o'i gorun i'w sawdl. Teimlodd Tomos Wiliam ias yn ei gerdded. A oedd yn mynd i'w adnabod er iddo siafio'i farf?

'Wel?' meddai John Mansel yn sarrug.

'Y . . . ro'n i wedi clywed, syr . . . y . . . fod swydd garddwr yn mynd yma.'

'Ble glywest ti hynny?'

'Y . . . yng Nghaerfyrddin.'

'Ble yng Nghaerfyrddin?' Roedd John Mansel yn ddrwgdybus ohono, meddyliodd Tomos Wiliam.

'Mewn tafarn,' dywedodd.

'Mewn tafarn? Wel, wyt ti'n arddwr?'

'Ydw, syr, a 'nhad o 'mlaen i. Ro'n ni'n gweithio ar stad Mr Beynon, Llysmaen.'

'Wel, pam wnest ti adael?'

'Y . . . fel y'ch chi'n gwybod, syr . . . fe gollodd Mr Beynon ddwy o'i longau masnach mewn storm ar y môr a gorfod gwerthu bron y cyfan o'r stad . . . a doedd yna ddim gwaith i ni wedyn.' Roedd Tomos Wiliam yn falch fod y rhan fwyaf o'r hyn a ddywedodd yn wir. Yr unig beth oedd yn gelwydd oedd dweud ei fod e ei hun wedi bod yn arddwr yn Llysmaen – doedd e erioed wedi bod. Ac, wrth gwrs, roedd ei dad wedi marw flynyddoedd cyn i Mr Beynon golli ei longau a'i stad.

'Rwy'n cofio rhywbeth . . .' meddai John Mansel. Yna edrychodd eto ar Tomos Wiliam – am amser hir y tro hwn – heb ddweud dim.

'O'r gore,' meddai o'r diwedd, '*mae* yma le i arddwr, ac fe gei di roi cynnig arni. Cofia, mi fydda i'n cadw llygad barcud ar dy waith di, ac mi fydda i'n disgwyl i ti wneud popeth fydda i'n ofyn i ti. Wyt ti'n deall – popeth!'

'Wrth gwrs, syr.' Roedd Tomos Wiliam yn gynhyrfus. Roedd e wedi cael gwaith yn Nôl-y-brain!

'Deuddeg punt y flwyddyn fydd dy gyflog di,' meddai John Mansel wedyn. 'Cymer e neu beidio.'

Deuddeg punt y flwyddyn! Roedd ei dad yn cael mwy na hynny pan oedd e'n arddwr ifanc yn Llysmaen. A fentrai ofyn am ragor? Penderfynodd wneud.

'Ro'n i wedi meddwl cael rhagor, syr.'

'Oeddet ti wir? Fe gawn ni weld yn nes 'mlaen yn y gwanwyn 'co. Does 'na fawr o waith yn y gerddi'r amser 'ma o'r flwyddyn. Fel y dwedes i – os nad wyt ti am y swydd . . .'

'O ydw, rwy i am y swydd, syr.'

'O'r gore 'te, dyna ddigon o siarad. Fe gaiff y forwyn fynd â ti i'r gegin, ac fe gaiff yr hen Ruth ddangos i ti dy stafell wely. Bant â ti!'

Aeth Wiliam Tomos allan gan deimlo ei fod wedi cael ei drin fel ci gan John Mansel. Ond roedd ei galon yn curo'n gyflymach serch hynny. Onid oedd y dyn wedi dweud enw oedd yn gyfarwydd iddo – RUTH? Ruth oedd enw hen nyrs Mary O'Kelly. Roedd hi yn y plas o hyd felly? Os mai'r un Ruth oedd hon a'r un roedd sôn amdani yn llythyr hir Mary O'Kelly fe allai gael gwybod llawer o bethau ganddi.

A'r noson honno fe gysgodd Tomos Wiliam ym mhlas enwog Dôl-y-brain. Mae'n wir mai yn rhan y gweision a'r morynion o'r plas y cysgodd e, a doedd ei stafell wely'n ddim mwy na'r stafell wely oedd ganddo yn y tollborth. Ond roedd dan yr un to â John Mansel serch hynny, ac yn y tŷ lle roedd yr hen Syr Henri Rhydderch a'i ferch Mary wedi marw o'r frech wen.

Doedd e ddim, wedi'r cyfan, wedi cael cyfle i gwrdd â'r Ruth y soniodd John Mansel amdani. Roedd y forwyn wedi mynd i'r gegin ac wedi dod 'nôl a mynd ag e i'r llofft i ddangos ei stafell iddo.

Cododd o'i wely gyda'r wawr drannoeth. Aeth i lawr i'r gegin lle roedd y morynion wrthi'n brysur yn paratoi brecwast. Daeth arogl hyfryd bacwn yn ffrio i'w ffroenau wrth iddo nesáu at y drws. Yn wir, yr arogl oedd wedi'i arwain at y lle.

Pan aeth i mewn i'r gegin gwelodd fod pedair o ferched yno ac un hen wraig yn eistedd wrth y tân.

'Chi yw'r garddwr newydd, mae'n debyg?' meddai'r hen wraig.

'Ie.'

'Wel, gobeithio y cewch chi well hwyl ar y meistri newydd nag a gafodd yr hen Watcyn.' Roedd tinc chwerw yn ei llais. Edrychodd Tomos Wiliam ar wyneb rhychiog yr hen wraig. Ai hon oedd Ruth?

Ond roedd hi'n siarad eto.

'Mae gweision a morynion yn mynd a dod yn gyflym iawn 'ma'r dyddiau hyn. Does neb ohonon ni'n siŵr pwy fydd yn cael mynd nesa.'

'Y . . . ro'n i wedi clywed fod yr hen Syr wedi marw,' meddai Tomos Wiliam.

'Mwy na'r hen Syr, 'y machgen bach i,' meddai'r hen wraig. 'Y Ledi Mary hefyd – y ferch y bues i'n nyrs – na, yn fwy na nyrs, yn fam iddi, pan fuodd 'i mam iawn farw. O, mae pethe wedi mynd yn rhyfedd yn hanes teulu Dôl-y-brain, credwch chi fi.'

'Dewch i gael eich brecwast,' meddai un o'r morynion – gwraig fach dew â ffedog lân, wen amdani. 'Y . . . dwi ddim yn gwybod eich enw chi?'

'Tomos Wiliam . . . o sir Benfro. Roedd fy nhad yn arddwr gyda Mr Beynon, Llysmaen.'

'A! Ro'n i'n nabod Mr Beynon yn dda. Roedd e'n dod yma ambell dro i weld yr hen Syr. Dyn neis iawn. Fe aeth yn ddiflas arno ynte, druan, cyn diwedd 'i oes,' meddai'r hen wraig o'r gornel.

'Do, fe gollodd bron y cyfan.'

Eisteddodd Tomos Wiliam wrth y bwrdd ac estynnodd y forwyn fach dew blatiaid o gig moch gwyn ac un wy ar blat glas iddo. Roedd darnau o fara trwchus ar blat mawr o'i flaen, a dechreuodd fwyta'n awchus.

Cyn bo hir fe ddechreuodd gweision eraill y plas gerdded i mewn o un i un i gael brecwast. Cyflwynodd y forwyn fach dew Tomos Wiliam iddyn nhw, gan ddweud mai e oedd y garddwr newydd. Doedd neb ohonyn nhw'n gyfeillgar iawn tuag ato, o bosib am eu bod yn teimlo'n ddig wrtho am mai fe oedd wedi cymryd swydd yr hen Watcyn.

Ond roedd meddwl Tomos Wiliam y funud honno ar yr hen wraig wrth y tân. Roedd e'n gwybod nawr mai'r Ruth roedd sôn amdani yn y llythyr oedd hi. Roedd e'n ysu am gael siarad â hi. Eisiau holi am farwolaeth Mary O'Kelly a'r hyn a ddigwyddodd ar ôl hynny oedd e'n fwy na dim. Ond a allai fentro? Beth fyddai hi'n gwneud pe bai'n dechrau ei holi? Mynd at John Mansel i ddweud bod y garddwr newydd yn holi gormod o gwestiynau? Doedd hi ddim yn swnio fel pe bai ganddi olwg fawr iawn ar y meistr newydd. Ond wedyn . . .

'Os ydych chi wedi gorffen eich brecwast,' meddai'r hen wraig o'r sgiw wrth y tân, 'fe wna i ddangos y gerddi i chi.'

'Na, na,' meddai Tomos Wiliam, 'fe gaiff rhywun arall . . . ' Roedd e'n meddwl na ddylai ddisgwyl i hen wraig fel hi ei dywys o gwmpas y gerddi.

Chwarddodd yr hen wraig, gan godi o'i sedd. Edrychodd o gwmpas y bwrdd o un wyneb diflas i'r llall.

'Rwy'n ofni,' meddai wedyn, 'falle, y bydd rhaid i chi fodloni arna i, chi'n gwybod!'

Cydiodd yn ei ffon o'r gornel a mynd am y drws. Aeth Tomos Wiliam ar ei hôl. Arweiniodd yr hen wraig y ffordd i'r awyr agored ac ar hyd llwybr heibio i dalcen y plas. O'r fan honno roedden nhw'n gallu gweld y gerddi o'u blaen. Lawntiau gwyrdd, er ei bod yn aeaf, coed bythwyrdd, coed ffrwythau, llwyni a chloddiau cymen a threfnus – dyna roedd Tomos Wiliam yn gallu ei weld o flaen ei lygaid. Ac ar y gwaelod, yn ymyl y wal uchel oedd o gwmpas y gerddi i gyd, roedd yna dŷ gwydr mawr.

'Dyma nhw'r gerddi,' meddai'r hen wraig. 'Roedd Watcyn yn arddwr ardderchog, ac mae e wedi'u gadael nhw mewn cyflwr da. Ond gwaetha'r modd, does yma neb nawr sy'n poeni rhyw lawer sut mae'r gerddi'n edrych.'

Yn sydyn, penderfynodd Tomos Wiliam adrodd ei stori wrth yr hen wraig. Os gallai rhywun ei helpu, meddyliodd, hon oedd hi. Ac os mai mynd yn syth at John Mansel fyddai hi'n gwneud, fyddai dim amdani ond rhedeg am ei fywyd.

'Y . . .' dechreuodd. Ond doedd e ddim yn siŵr sut i ddechrau.

'Mm-m-?' meddai'r hen wraig, gan droi ei phen i edrych i'w wyneb.

'Rwy'n . . . rwy'n . . . gwybod ble mae'r bachgen bach,' rhuthrodd y geiriau'n herciog o geg Tomos Wiliam.

Edrychodd yr hen wraig yn syn arno.

'Beth y'ch chi'n ddweud, ddyn? Yr bachgen bach? Pa fachgen bach?'

Ond sylwodd Tomos Wiliam fod newid wedi dod drosti. Roedd y llaw a oedd yn dal y ffon yn crynu.

'Yr etifedd bach, Arthur – ŵyr Syr Henri.' Wedi mentro torri'r garw, sylweddolodd Tomos Wiliam fod yn rhaid mynd ymlaen.

Dechreuodd yr hen wraig gerdded yn gyflym i lawr am ben draw'r lawnt at y grisiau oedd yn mynd i lawr at y gerddi. Deallodd Tomos Wiliam ei bod yn ceisio mynd mor bell â phosib oddi wrth y plas rhag ofn fod yna glustiau'n gwrando.

'Pwy y'ch chi?' gofynnodd ar ôl cyrraedd gwaelod y grisiau.

'Tomos Wiliam – ceidwad tollborth Pont-y-glyn yn sir Benfro oeddwn i hyd yn ddiweddar. Ond un noson dywyll . . .'

Ac yna adroddodd Tomos Wiliam yr holl hanes wrth yr hen wraig. A thra oedd e'n adrodd roedd hithau'n cerdded yn araf, ac eto'n gynhyrfus rywfodd, o'i flaen i lawr y llwybr. Pan ddaeth i ben â'i stori, fe drodd i'w wynebu ac roedd gwên hyfryd ar ei hwyneb rhychiog. 'Diolch i Dduw!' meddai, a'i llais yn gryndod i gyd. 'Mae'r bychan yn fyw, felly?' Tynnodd hances wen o boced ei ffedog ddu a sychodd ddeigryn gloyw oedd yn cronni yn ei llygaid.

'Mae Arthur bach yn fyw! Ac mae 'na obaith eto!'

Roedd hi dan deimlad dwys, a'r llaw a ddaliai'r ffon yn ysgwyd yn ddi-baid.

'Ro'n i wedi meddwl, wir, fod Duw'n mynd i adael i'r drygionus lwyddo. Roedd bai arna i am feddwl y fath beth – rwy'n gallu gweld hynny nawr. Ond roedd popeth fel petai'n gweithio o'u plaid, ac ro'n i'n ddigalon iawn. Mae'r newyddion ry'ch chi wedi'i roi i fi nawr wedi rhoi gobaith newydd i fi. Ro'n i'n ofni fod y bychan a'r Gwyddel wedi colli'u bywyde yn y storm neu wedi cael 'u lladd mewn damwain. Hyd yn oed os oedd Mr O'Kelly wedi llwyddo i fynd ag Arthur bach i Iwerddon, fe fydde'n beryglus iddyn nhw ddod 'nôl . . .'

'Peidiwch â meddwl am bethau fel'na nawr,' meddai Tomos Wiliam. 'Mae'r un bach, beth bynnag, yn iach ac yn ddiogel. Ond dwi ddim mor siŵr am y dyn ifanc.'

Cofiodd yr hen wraig yn sydyn eu bod yng ngolwg ffenestri mawr y plas, hyd yn oed yn y fan honno.

'Rwy'n ofni na allwn ni ddim aros rhagor fan yma, rhag ofn fod yna lygaid yn ein gwylio ni . . . fe gawn ni gyfle eto . . . Dy'ch chi ddim wedi cwrdd â'r lleill hyd yn hyn.'

'Y lleill?'

'Ie. Dynion John Mansel. Dy'n nhw ddim yn codi mor fore â ni, y rhai sy ar ôl o weision a morynion yr hen Syr. Maen nhw'n cael 'u brecwast ar ein hôl ni.' Ar y gair dyma'r hen wraig yn troi'n ôl am y plas a dechrau cerdded i'r cyfeiriad hwnnw. Aeth Tomos Wiliam gyda hi.

'Y . . . beth allwn ni'i wneud?' gofynnodd. Ysgydwodd yr hen wraig ei phen.

'Dim syniad,' meddai. Yna dyna hi'n stopio ac yn troi ato. Edrychodd ei hen lygaid yn hir ac yn graff arno, fel pe bai'n ceisio ei bwyso a'i fesur.

'Rwy'n mynd i ymddiried ynoch chi, Tomos Wiliam,' meddai. 'Does yna neb arall, ond chi.'

Plygodd Tomos Wiliam ei ben.

'Mae ewyllys yr hen Syr gen i,' meddai'r hen wraig yn ddistaw.

Cododd Tomos Wiliam ei ben. 'Ro'n i'n amau falle mai gennych chi roedd hi os nad oedden nhw wedi'i chael hi.'

'Maen nhw wedi chwilio ymhobman, pob drôr a phob twll a chornel yn fy stafell i – hyd yn oed 'y nillad i. Ond mae hi gen i o hyd. Mae hi wedi 'i gwnïo y tu mewn i'r hen sgert ddu 'ma sy amdana i'r funud 'ma. Ond nawr rwy i am i chi 'i chael hi, Tomos Wiliam.'

'Fi! O na, mae hi'n fwy diogel gyda chi, wir i chi.'

'Nac ydy, Tomos Wiliam; fe all unrhyw beth ddigwydd i mi. Rwy i'n hen iawn yn un peth, a pheth arall rwy i yn yr un tŷ â'r dihirod. Rwy i am weld yr ewyllys yn mynd allan o'r tŷ 'ma. Rwy i am iddi fynd i'r bobol dda yna sy'n edrych ar ôl Arthur bach. Gyda nhw y dylai hi fod, fel y gallan nhw fynd at gyfreithiwr . . .'

'Ga i ofyn, os nad ydw i'n rhy haerllug yn gofyn y fath gwestiwn . . . y . . . i bwy mae Syr Henri Rhydderch wedi gadael Dôl-y-brain a'r cyfoeth a . . .?'

'Na, dy'ch chi ddim yn haerllug, Tomos Wiliam – fe alla i ddweud wrthoch chi fod yr hen Syr wedi gadael y cyfan i Arthur.'

'Whiw. Mae'r plentyn yn gyfoethog iawn felly, os all rhywun brofi . . .'

igon hawdd profi pan ddaw'r
ır bach yn un o'r plant mwya
fyrddin. Nid yn unig y plas a'r
Ond y darluniau a'r dodrefn
stri drud. Ond mae'r tad a'r
Mansel – yn gwerthu pethau
Harold wedi mynd i ffwrdd
ıs, ac mae gen i syniad beth
na ddau bictiwr costus wedi
ail lawr, ac rwy'n siŵr mai
ın mawr yw bwriad Harold.
d rhywbeth ar unwaith felly.
nd â'r ewyllys . . . a gadael

ddau wedi cyrraedd y lawnt
eto. Wrth gerdded ar draws
ylwi ar John Mansel yn eu
vr y plas.
ias fach o ofn trwy gorff
weld yr olwg filain ar ei

omos
vraig.
ni, a'i
eth e'r

gerddi
ı orau
John
ld e'n
ref yn
dod i
ımlo'n
ımau?
e'n un
Viliam
! Ond
Wrth
ɔ weld
efusau.
yliodd

Pennod 7

Yn ystod y dyddiau nesaf chafodd T
Wiliam ddim cyfle i siarad eto â'r hen
Yn wir, dim ond unwaith y cafodd e gip a
gweld yn sefyll yn un o ffenestri'r plas a wna
pryd hynny.

Er nad oedd gormod i'w wneud yn y
yr amser hwnnw o'r flwyddyn, gwnaeth e
i fwrw ymlaen â'i waith. Unwaith daetł
Mansel i lawr o'r tŷ mawr i weld sut oe
dod ymlaen. Holodd e'n fanwl am ei gar
sir Benfro, a ble roedd e'n gweithio cyn
Ddôl-y-brain. Roedd Tomos Wiliam yn te
anesmwyth iawn. Tybed a oedd y dyn yn ei
Beth oedd diben yr holl holi? Gan nad oedd
da am ddweud celwyddau, roedd Tomos
yn ofni bod ei atebion yn swnio'n amheu
o'r diwedd aeth John Mansel yn ôl i'r plas
iddo droi, meddyliodd Tomos Wiliam idd
hanner gwên slei yn chwarae o gwmpas ei w
Ond efallai mai dychmygu oedd e, medd
wedyn.

Wrth ei waith bob dydd, ac yn ei wely bob nos, byddai'n meddwl am yr hyn ddywedodd yr hen wraig am yr ewyllys.

'Rwy i am i chi ei chael hi, Tomos Wiliam . . .', dyna ddywedodd hi. Roedd e wedi penderfynu beth i'w wneud y funud y byddai'r ewyllys yn ei ddwylo. Byddai'n gadael ei waith ar unwaith a mynd yn syth i sir Benfro a fferm yr Hafod ar lethr y mynydd heb yn wybod i neb. Doedd ganddo ddim syniad beth i'w wneud wedyn; byddai'n rhaid trefnu gyda Catrin ei chwaer, a'i gŵr.

Ond ble roedd yr hen wraig? Roedd hi yn y gegin y bore cyntaf pan ddaeth e i lawr am 'i frecwast. Ond doedd hi ddim wedi bod yn y gegin wedyn o gwbwl pan oedd e yno. Pam roedd hi mor araf yn rhoi'r ewyllys iddo? Pam roedd hi'n cadw draw oddi wrtho? Roedd hi wedi bod yn serchog iawn tuag ato y diwrnod cyntaf hwnnw. A oedd hi wedi newid ei meddwl wedi'r cyfan?

Roedd Tomos Wiliam mewn penbleth, ac wrth i'r dyddiau fynd heibio heb sôn am Ruth, dechreuodd feddwl bod rhywbeth o'i le. Mentrodd holi'r morynion eraill. Cafodd wybod ei bod hi'n cadw yn ei stafell ei hunan. A oedd hi'n sâl, felly? Ysgydwodd y forwyn ei phen heb ddweud dim rhagor. Dechreuodd ofidio mwy. Roedd e'n siŵr nawr fod yr hen wraig naill ai wedi penderfynu peidio â rhoi'r ewyllys iddo, neu roedd John Mansel yn ei rhwystro rhag dod i'r gegin am ryw reswm.

Y noson ganlynol cafodd gyfle i holi tipyn ar y wraig fach dew oedd wedi rhoi brecwast iddo y bore cyntaf hwnnw. Erbyn hyn roedd e'n gwybod mai Elen oedd ei henw. Deallodd ei bod hi wedi bod yn forwyn yn y plas ers saith mlynedd ac felly'n gwybod sut oedd pethau yn Nôl-y-brain yn amser yr hen Syr. Dywedodd na fyddai Ruth byth yn bwyta yn y gegin y dyddiau hynny ac y byddai'n cael ei bwyd bob amser gyda'r bobl fonheddig yn stafell frecwast neu stafell ginio'r plas. Dywedodd fod hyn yn hen arfer er pan oedd Miss Mary'n ferch fach a Ruth yn nyrs iddi. Dim ond wedi marw'r hen Syr, a phan ddaeth John Mansel a'i fab, roedd Ruth wedi gorfod dod i'r gegin at y gweision a'r morynion i gael ei bwyd. Ond, dywedodd Elen, roedd ei stafell wely hi o hyd yn y rhan arall o'r plas, ac nid yn rhan y gweision a'r morynion.

Gan bwyll bach a phob yn dipyn, fe ddaeth y syniad i ben Tomos Wiliam fod Ruth yn cael ei chadw'n garcharor yn y plas. Roedd hi'n cael ei rhwystro rhag dod i lawr i'r gegin at y gweision a'r morynion. Pam? Cofiodd ei fod wedi bod yn ddigon ffôl i ddweud wrth yr hen wraig fod Arthur yn fyw ac iach – yn ymyl y plas. A oedd rhywun wedi ei glywed? Yna cofiodd yr olwg ar wyneb John Mansel, yn y ffenest, pan ddaeth e a'r hen wraig i fyny'r grisiau o'r gerddi. Doedd e ddim wedi gweld golwg mor gas ar wyneb neb erioed. Pam roedd e'n edrych felly? Beth os oedd e wedi clywed rhywfaint o'r hyn a ddywedodd wrth yr hen wraig? Neu a oedd e'n amau fod yna ryw gyfrinach rhyngddo fe – Tomos Wiliam – â Ruth? Yna dechreuodd ei feddwl redeg yn wyllt – beth os oedd John Mansel wedi ei nabod o'r dechrau ar ei fod wedi siafio'i farf?

Yn sydyn fe benderfynodd fod *rhaid* iddo, rywsut neu'i gilydd, siarad â'r hen wraig, a hynny ar unwaith.

Allai e ddim dioddef bod ar bigau'r drain fel hyn o hyd. Roedd e'n teimlo fel gadael Dôl-y-brain cyn gynted â phosib. Roedd rhywbeth am y lle oedd yn codi ofn arno ac yn rhoi straen ofnadwy ar ei nerfau. Roedd pawb yn gwylio'i gilydd yn Nôl-y-brain – pawb yn amau ei gilydd – ac roedd y lle wedi mynd yn lle sinistr iawn i fyw ynddo. Ac roedd e'n gwybod yn iawn pwy oedd achos y cwbwl.

Roedd e'n teimlo fel mynd ar unwaith drwy'r porth mawr ar waelod y lôn ac allan i'r ffordd fawr i ganol pobl gyfeillgar. Ond roedd Ruth wedi gofyn iddo fynd â'r ewyllys gydag e, a doedd e ddim am fynd heb roi gwybod iddi.

Roedd un forwyn fach serchog yn y plas o'r enw Nansi, ac roedd Tomos Wiliam a hithau wedi dod yn dipyn o ffrindiau. Roedd hi tua'r un oed â Gwen ei ferch ac efallai fod gan hynny rywbeth i'w wneud a'r ffaith eu bod wedi dod yn ffrindiau. Byddai Nansi'n mynd yn aml i'r rhan arall o'r plas lle roedd y gwŷr bonheddig – i osod y byrddau ar gyfer brecwast, cinio a swper, ac i glirio'r llestri ar ôl i bawb orffen bwyta.

Holodd Tomos Wiliam Nansi'n fanwl a oedd hi wedi gweld Ruth yn cael 'i bwyd gyda'r gwŷr bonheddig o gwbl. Dywedodd Nansi nad oedd hi ddim. Ble, felly, oedd hi'n cael ei bwyd, gan nad oedd hi ddim yn dod i'r gegin? Atebodd Nansi ei bod hi'n meddwl ei bod hi'n sâl ac yn cael ei bwyd yn ei stafell ei hunan. Yn sâl? Ond roedd Tomos Wiliam wedi'i gweld yn y ffenest . . . Ond wedi meddwl, fe allai'r hen wraig fod yn sâl yn ei stafell. Byddai'n rhaid iddo fynd ati ar unwaith, felly . . . roedd hi'n hen . . . beth pe bai hi'n marw a'r ewyllys, fel y dywedodd hi, wedi'i gwnïo i mewn i'w hen sgert ddu?

Un noson ar ôl swper, a Tomos Wiliam yn barod i ddringo'r grisiau i'w stafell wely, fe welodd Nansi'n dod tuag ato. Dyma'i gyfle.

'Nansi,' meddai. Yna, stopiodd yn sydyn wrth sylweddoli ei fod ar fin gofyn cwestiwn pergylus.

'Ie?' gofynnodd hithau.

'Nansi,' meddai eto.

'Ie, fi yw Nansi,' meddai'r forwyn gan ddechrau chwerthin am ei ben.

'Wyt ti'n gwybod ble mae stafell wely Ruth?'

'Ydw . . . ond . . .'

'Gwranda, Nansi fach . . . rwy i am i ti ddangos y ffordd i fi . . .'

'Na! Fedra i ddim. Does gyda chi ddim hawl mynd i'r rhan yna o'r plas a . . .'

'Ond mae'n *rhaid* i fi fynd, Nansi.'

'Rhaid i chi? Dwi ddim yn deall.'

'Mae'n rhaid i fi gael gair â'r hen wraig – mae'n bwysig iawn.'

'Na, na. Tase Mr Mansel yn eich gweld chi!'

'Nansi,' meddai Tomos Wiliam, gan gydio yn ei braich, 'alla i ddim egluro, ond rwy i am i ti 'nghredu i fod *rhaid* i fi gael gair â'r hen wraig.'

Roedd llygaid brown y forwyn fach yn edrych yn graff arno.

'Na!' Roedd hi'n swnio'n fwy pendant y tro hwn.

Tynnodd Tomos Wiliam hanner coron o'i boced. 'Mae hwn i ti os gwnei di,' meddai. Agorodd y llygaid led y pen. Roedd hanner coron yn arian mawr i forwyn fach.

'O, o'r gore,' meddai gan gymryd y darn arian, 'ond cofiwch, os cewch chi'ch dala, ddim arna i fydd y bai.'

'Na, ddim arnat ti fydd y bai,' meddai Tomos Wiliam gan dynnu anadl hir o ryddhad.

'Dilynwch fi,' meddai'r forwyn.

Aeth y ddau i fyny'r grisiau cul oedd yn arwain i lofft y morynion. Yna, ar ôl dod i'r landin, ymlaen ar hyd coridor hir a thywyll. Wrth fynd clywodd Tomos Wiliam y cloc yn nhwr y plas yn taro wyth o'r gloch. Wedyn, dyma nhw'n dod at ddrws ym mhen draw'r coridor. Agorodd y forwyn fach e'n ofalus a rhoi ei phen allan i weld a oedd rhywun yn y golwg yr ochr arall iddo. Yna gwnaeth arwydd ar Tomos Wiliam i'w dilyn. Yn sydyn dyma Tomos Wiliam yn cyrraedd landin llydan a hwnnw'n olau i gyd. Uwchben roedd siandelîr crand ac o hwnnw roedd y golau'n dod. Roedd e'n teimlo fel pe bai wedi'i ddal heb ddillad amdano o dan yr holl olau. Sylweddolodd ei fod wedi cyrraedd y rhan o'r plas doedd dim hawl ganddo fynd yn agos ato – a phe bai'n cael ei ddal byddai'n siŵr o gael ei gosbi'n drwm.

Rhoddodd y forwyn fach ei bys ar ei gwefus fel arwydd iddo fod yn ddistaw, ac aeth yn ei blaen i ben arall y landin, lle roedd coridor arall yn arwain i rywle.

Roedd hwn yn fwy llydan ac yn fwy golau na'r un diwethaf. Ar ôl mynd rai llathenni ar hyd y coridor yma, dyma'r forwyn fach yn stopio'n sydyn o flaen drws oedd ar gau. Trodd at Tomos Wiliam, a heb ddweud yr un gair, pwyntiodd â'i bys at y drws. Yna trodd ar ei sawdl a mynd 'nôl yn frysiog ar hyd y coridor, ar draws y landin a diflannu, gan adael Tomos Wiliam yno'n ei gwylio'n mynd. Wedi iddi ddiflannu o'r golwg plygodd ei ben at y drws i wrando. Gwelodd fod llinell denau o olau i'w gweld yn dod o dano. Rhoddodd ei law yn ysgafn ar fwlyn y drws, ond cyn iddo ei droi fe glywodd sŵn – sŵn rhywun y tu mewn yn peswch. Rhaid ei bod hi yno felly, meddyliodd. Trodd fwlyn y drws yn araf bach. Roedd yn disgwyl iddo fod ar glo, ond er syndod iddo, gallai ei deimlo'n agor. Yn wir, fe agorodd y drws mor hawdd nes i Tomos Wiliam gael ei hunan i mewn yn y stafell heb yn wybod iddo'i hun bron.

Y peth cyntaf a welodd oedd lamp ynghynn ar fwrdd crwn yn ymyl y ffenest. Ac yno – yn eistedd wrth y bwrdd – fe welodd . . . nid Ruth . . . ond yr hen wrach o fenyw fwyaf hagr a welodd erioed. Roedd ei hwyneb yn greithiau ac yn dyllau i gyd, ac roedd un o'i llygaid bron ynghau tra oedd y llall yn llydan agored ac yn ddisglair fel petai'n llosgi yn ei phen. Gwelodd Tomos Wiliam y lliw coch afiach ar ei chroen, a sylwodd fod rhan o'i thrwyn yn eisiau. Roedd hi'n edrych yn ddychrynllyd, a nawr roedd hi wedi codi ar ei thraed ac roedd y llygad mawr, llosg yn syllu ar ei wyneb.

Y syniad cyntaf a ddaeth i ben Tomos Wiliam oedd dianc – nid yn unig o'r stafell honno, ond o'r plas hefyd, mor bell ag y gallai fynd. Ond wrth edrych ar yr wyneb hagr hwnnw fe gofiodd yn sydyn am lythyr Mary O'Kelly. Roedd hwnnw'n sôn am hen wraig a'i hwyneb yn greithiau i gyd – wedi gwella o'r frech wen. Sylweddolodd ar unwaith mai dyma pwy oedd hon.

'Pwy wyt ti?' gofynnodd yr hen wrach. Roedd ei llais yn ddwfn ac aneglur fel petai'n dod trwy ei thrwyn.

Cyn i Tomos Wiliam gael amser i ateb gwelodd lenni'r gwely ym mhen pellaf y stafell yn cael eu tynnu'n ôl a phen gwyn Ruth yn dod i'r golwg. Edrychodd yn syn ar Tomos Wiliam. Agorodd ei cheg i ddweud rhywbeth ond caeodd hi eto. Yna trodd at yr hen wraig hyll ac meddai, 'Rwy'n nabod hwn, Leisa.'

'Pwy yw e?' gofynnodd y wrach.

'Garddwr newydd y plas yw hwn – yn lle Watcyn.'

'Beth yw 'i fusnes e 'ma?' Roedd hi'n ddrwgdybus iawn.'

'Wel?' meddai Ruth, ac roedd ei llais bron mor sarrug ag un y llall. 'Wyt ti wedi colli dy dafod neu beth? Wyt ti wedi dod 'ma yn lle Sami neu nag wyt ti?'

Doedd dim syniad gan Tomos Wiliam beth ar y ddaear i'w wneud o hyn. Ond gwelodd Ruth yn wincio arno.

'Ydw,' meddai.

'Ydy Sami wedi meddwi heno 'to?' gofynnodd Ruth.

'Ydy,' meddai Tomos Wiliam wedyn – wedi deall erbyn hyn fod Ruth yn ceisio rhoi geiriau yn 'i geg e.

'Ach!' meddai Leisa. 'Mae hwnna'n feddw bob nos, y mochyn!'

'Fe sy'n arfer dod i edrych ar fy ôl i tra bydd Leisa'n mynd lawr i gael 'i swper,' meddai Ruth.

'Ond mae'n debyg fod Mr Mansel wedi'ch hala chi heno gan fod Sami'n feddw?'

Deallodd Tomos Wiliam y cyfan o'r diwedd a synnodd at glyfrwch Ruth.

'Do,' meddai gan droi at y wrach. 'Gwell i chi fynd, dwi ddim am aros fan yma drwy'r nos.'

'Hy! Does dim gwahaniaeth 'mod i'n gorfod bod 'ma drwy'r dydd a'r nos . . .' Ond wrth ddweud roedd hi'n mynd am y drws.

Yn y drws arhosodd a throi'n ôl. 'Paid tynnu dy lygad oddi arni, cofia, mae hi'n gyfrwys iawn.'

'Fe ofala i amdani,' meddai Tomos Wiliam.

Yna roedd y drws wedi cau a'r hen wrach wedi diflannu. Gwrandawodd ar ei thraed trwm yn mynd i lawr y coridor, yna trodd at Ruth.

'Pam maen nhw'n eich cadw chi'n garcharor fan hyn?' gofynnodd.

'Am fod John Mansel wedi'n gweld ni'n siarad â'n gilydd y dydd o'r bla'n. Mae e wedi cymryd yn 'i ben fod rhyw gyfrinach rhyngoch chi a fi – ac mae e'n iawn, wrth gwrs. Mae e'n eich amau chi er pan ddaethoch chi 'ma. Mae e'n dweud bod 'na rywbeth amdanoch chi sy'n ei atgoffa o rywun . . . dyw e ddim yn siŵr pwy.'

'Mae'n syndod wedyn 'te, na fuase fe wedi cydio yno' i a cheisio . . .'

'Dyw e ddim am i chi wybod ei fod e'n eich amau chi, Tomos Wiliam, gan 'i fod e'n gobeithio y byddwch chi yn 'i arwain e at rywbeth.'

'Rwy'n mynd o 'ma,' meddai Tomos Wiliam, 'ond ro'n i am eich gweld chi gynta . . . i ofyn a oeddech chi am i fi wneud rhywbeth . . .'

'Yr ewyllys! Ewch chi â hi?' Daeth yr hen wraig allan o'r gwely lle roedd hi wedi bod yn gorwedd yn ei dillad – yr hen sgert ddu a'r flows sidan ddu.

'Wrth gwrs – fe af fi â hi i'r rhai sy'n edrych ar ôl Arthur bach – fy chwaer Catrin a'i gŵr.'

Croesodd yr hen wraig y stafell yn frysiog ac aeth at gwpwrdd bach yn y gornel. Tynnodd siswrn gloyw allan o hwnnw. Cododd waelod ei sgert fawr, ddu oedd yn ymestyn hyd ei thread a gwthio'r siswrn i un o'r plygion.

Clywodd Tomos Wiliam y brethyn yn rhwygo.

'Fan hyn mae'r ewyllys wedi bod er pan fu Miss Mary farw,' meddai. 'Efallai nad fan yma oedd y lle gorau yn y byd i'w chwato hi, ond dy'n nhw ddim wedi dod o hyd iddi. Dyw e, John Mansel, ddim yn siŵr a wnaeth yr hen Syr ei ewyllys cyn marw ai peidio. Ond mae e'n ofni bod yna ewyllys yn rhywle. Falle 'i fod e wedi clywed rhyw sôn fod yna un, ac mae e'n gynddeiriog eisie gwybod yn iawn. Dyna pam mae e'n 'y nghadw i fan hyn yn garcharor. Mae e'n credu, os yw'r ewyllys yn rhywle, 'mod i'n gwybod ble.'

Yna, o blygion yr hen sgert tynnodd y darn papur hollbwysig allan. Roedd e mewn amlen a sêl arni.

'Dyma ni, Tomos Wiliam – dyma fi'n rhoi

'i gofal hi i chi nawr. Rwy i wedi 'i chadw hi'n ddiogel, a gobeithio y gwnewch chithe'r un peth nes bydd y dihirod 'ma wedi ca'l 'u taflu allan o Ddôl-y-brain gan y gyfraith. O, fe garwn i fyw i weld y dydd pan fydd Arthur bach yn dod adre!'

'Fe ofala i am yr ewyllys tra bydd anadl yn 'y nghorff i,' meddai Tomos Wiliam gan gymryd yr amlen o'i dwylo a'i rhoi ym mhoced ei frest. 'Rhaid i mi fynd ar unwaith.'

'Rhaid. Cofiwch, mae dyfodol yr hen le 'ma yn eich gofal chi nawr. Dim ond chi a'r darn papur yn yr amlen 'na sy rhwng John a Harold Mansel a stâd Dôl-y-brain. Gobeithio y bydd Duw'n gofalu amdanoch chi ac yn rhoi nerth i chi . . .'

Stopiodd yr hen wraig yn sydyn a gwrando. Ac yn y distawrwydd clywodd y ddau sŵn traed trwm yn agosáu at y drws.

'Sami!' meddai'r hen wraig mewn dychryn. 'Sami!'

Deallodd Tomos Wiliam ar unwaith. Roedd y dyn yma wedi dod i ofalu am Ruth tra byddai'r wraig hyll yn cael ei swper. Doedd dim eiliad i'w cholli. Neidiodd yn gyflym ar draws y stafell a sefyll y tu ôl i'r drws. Clywodd y traed yn stopio y tu allan, a gwelodd fwlyn gloyw'r drws yn cael ei droi. Yna gwelodd e'n agor.

'Wel, madam Ruth, a sut mae hwyl madam heno?

M?' Roedd y llais yn dew a gwawdlyd, ond yn

sydyn newidiodd. 'Ble mae Leisa?' dechreuodd. Sylweddolodd Tomos Wiliam fod rhaid iddo symud ar unwaith. Neidiodd o'i guddfan y tu ôl i'r drws gan daro Sami yn ei gefn nes ei fod e draw yn ymyl y gwely.

'Hei!' gwaeddodd hwnnw'n syn. Ond erbyn hynny roedd Tomos Wiliam wedi mynd allan drwy'r drws, a nawr roedd e'n rhedeg nerth ei draed i lawr ar hyd y coridor am y landin. Clywodd weiddi mawr y tu ôl iddo. 'Hei, dere'n ôl y cythraul!' Ar y landin, o dan y golau, safodd Tomos Wiliam am foment yn meddwl. Pa ffordd oedd orau? Yn ôl ar hyd y coridor tywyll tuag at ran y gweision a'r morynion o'r adeilad? Neu i lawr ar hyd y grisiau mawr i ran y bobl fonheddig o'r plas? Meddyliodd mai'r grisiau fyddai orau gan y byddai'n fwy tebyg o gael drws i ddianc o fynd y ffordd honno. Roedd hi'n llai o ffordd hefyd. Yng nghefn ei feddwl roedd e'n cofio ei fod wedi clywed y cloc yn taro wrth ddod i fyny – wyth o'r gloch oedd hi bryd hynny. Doedd hi ddim mwy na rhyw ddeng munud wedi wyth nawr felly, a mwy na thebyg fod y gwŷr bonheddig wrth eu swper o hyd, neu o leiaf yn yfed eu gwin wrth y bwrdd.

Aeth i lawr y grisiau dair ar y tro. Daeth at landin arall debyg i'r un roedd e newydd ei gadael, ac o'r fan honno gallai weld y llawr a'r neuadd, ac yn bwysicach na dim, y drws mawr. Rhedodd i lawr dros weddill y grisiau a mynd am y drws.

Erbyn hyn, roedd Sami'n gweiddi fel creadur gwallgo ar y landin uchaf. Cyn iddo gyrraedd y drws clywodd sŵn cyffro cadeiriau a thraed yn dod o stafell ar y dde iddo a sylweddolodd fod John Mansel a'i ffrindiau wedi clywed y sŵn o'r llofft. Cydiodd ym mwlyn mawr y drws a'i droi. Roedd e heb ei gloi – ond O! – roedd e mor araf yn agor. Edrychodd dros ei ysgwydd. Gallai weld Sami'n hanner rhedeg hanner cwympo i lawr y grisiau olaf.

Ond yn nes ato na hwnnw sylwodd ar John Mansel a dau o ddynion roedd e heb eu gweld o'r blaen. Gwelodd law John Mansel yn mynd yn sydyn o dan ei got. Roedd y drws mawr yn gilagored nawr. Gwelodd bistol yn llaw John Mansel. Gwthiodd ei gorff trwy gil y drws, a'r eiliad honno clywodd sŵn y fwled o'i bistol yn taro pren trwchus y drws. Yna roedd e allan yn yr awyr agored, ac yn teimlo'n ddiolchgar am y tywyllwch o'i gwmpas. Dechreuodd redeg wedyn – i lawr y lôn – yn gynt nag y rhedodd erioed o'r blaen yn ei fywyd.

Ac o'r tu ôl iddo roedd y pandemoniwm rhyfeddaf – sŵn gweiddi, swn cŵn yn cyfarth a sŵn traed yn rhedeg.

Pennod 8

Yn y cyfamser roedd pethau wedi bod yn digwydd yn sir Benfro. Un noson roedd ceidwad newydd tollborth Pont-y-glyn yn eistedd yng nghegin y bwthyn bach ar fin y ffordd. Roedd hi bron yn un ar ddeg o'r gloch. Am un ar ddeg byddai coets y post yn mynd trwodd am Abergwaun. Yna gallai fynd i'r gwely gan obeithio na fyddai'r un cerbyd yn dod i'w orfodi i agor y glwyd yn ystod y nos; roedd hi'n noson oer iawn, ac roedd haen o rew ar ffenestri'r bwthyn yn barod.

Yn sydyn cododd ei ben i wrando. Roedd hi'n noson dawel, olau leuad, a nawr clywodd Daniel Huws, y ceidwad newydd, sŵn carnau ceffyl yn dod i fyny'r ffordd o gyfeiriad y bont. Taflodd lygad ar y lantarn a oedd ynghyn ar y bwrdd. Clywodd y ceffyl yn dod at y glwyd ac yn stopio.

'*Gate*!' gwaeddodd llais o'r tu allan. Cododd ar unwaith, cydio yn ei lantarn, ac allan ag e. Dan olau'r leuad gallai weld cysgod du o farchog a cheffyl yn sefyll wrth y glwyd.

'Tomos Wiliam?' gwaeddodd y marchog.

'Nage, syr – Daniel Huws sy'n edrych ar ôl y glwyd nawr. Mae Tomos Wiliam wedi mynd . . .'

'Mynd i ble?' Roedd llais y marchog yn uwch nawr. Cododd Daniel Huws ei lantarn i edrych arno. Dyn ifanc, golygus oedd e, a chlogyn du wedi'i lapio am ei ysgwyddau.

'Y . . . dwi ddim yn siŵr ble ddwedodd e roedd e'n mynd . . . fe wnaeth e sôn rhywbeth am ryw ffarm draw ar ochor y mynydd . . . arhoswch chi nawr . . . beth ddwedodd e hefyd . . . ie . . . rwy'n siŵr bron mai'r Hafod ddwedodd e. Rwy'n meddwl fod 'i chwaer . . .'

'Pam y gadawodd e'r lle 'ma 'te?'

'Dim syniad – wedi cael digon ar y gwaith falle. Dyw cadw tollborth ddim yn waith hawdd, cofiwch. Pan ofynnes i iddo pam roedd e'n gadel, fe ddwedodd 'i fod e am fyw bywyd mwy tawel, dyna ddwedodd e.'

'Bywyd mwy tawel, iefe? Oeddech chi yma pan aeth e?'

'Oeddwn. Ond dyn dierth oedd Tomos Wiliam i fi. Fuodd dim fawr iawn o siarad rhyngon ni o gwbwl.'

'Pwy oedd gydag e pan aeth e o 'ma?'

'Dim ond 'i ferch, Gwen. Merch neis iawn.'

'Doedd dim plentyn gyda nhw?'

'Plentyn, syr? Na, welais i ddim plentyn.'

Dywedodd y marchog rywbeth dan ei anadl. 'Ie, syr?' meddai Daniel Huws.

'Dim, dim. Y . . . yr Hafod 'ma. Oes gennych chi syniad ble mae e?'

'Wel syr, ar ochor y mynydd ddwedodd e. A'r mynydd agosa atom ni fan hyn yw'r Frenni Fowr. Fe allech weld y Frenni Fowr o fan yma'n rhwydd yn y dydd – i'r gorllewin. Ond cofiwch, os nad y'ch chi'n gyfarwydd â sir Benfro, rhaid i fi eich rhybuddio chi fod yma lawer o fynyddoedd – mynyddoedd Preseli – falle eich bod chi wedi clywed amdanyn nhw?'

'Do, wrth gwrs. Rhaid i fi droi'n ôl felly?'

''Nôl dros y bont, syr, i'r dde ar y groesffordd a dilyn ymlaen ac fe ddowch at droed y Frenni Fowr. Ond fuswn i ddim yn eich cynghori chi i fynd i edrych am y lle 'ma – yr Hafod – heno. Er bod golau leuad, rwy'n meddwl mai aros yn y gwesty yn y pentre tan y bore fyddai ore i chi. Mae'n hawdd iawn colli'r ffordd ar yr hen fynydde 'na.'

Cyn i'r marchog gael amser i ateb torrodd sŵn corn y Goets ar eu clyw, a chyn pen winc roedd y cerbyd yn dod yn gyflym tuag atyn nhw a'i lampau mawr yn wincio. Brysiodd Daniel i agor y glwyd, gan ei bod yn gwybod na ddylai gadw'r Goets i aros. Pan edrychodd e wedyn, gwelodd fod y marchog wedi mynd i lawr y ffordd.

Aeth y cerbyd trwm trwodd gyda chlindarddach

olwynion a chamau ceffylau. Gwelodd Daniel y gyrrwr yn codi ei chwip arno wrth fynd heibio, yna aeth yn ôl i'r tŷ ac i'r gwely.

⋆ ⋆ ⋆

Yn ystod y nos honno disgynnodd haenen ysgafn o eira ar fynyddoedd Preseli, a phan gododd Gwen o'i gwely cynnes yn yr Hafod fore trannoeth, gwelodd fod y Frenni Fawr yn wyn ac yn dawel yn ei wn nos newydd.

Aeth i lawr y grisiau'n frysiog. Roedd annwyd trwm ar ei Hewyrth Ifan, a'r noson cynt roedd Gwen wedi addo iddo y byddai hi'n taro golwg dros y defaid yn y bore. Nawr, a'r haenen eira oer ar y Frenni, byddai eisiau mwy o ofal fyth arnyn nhw.

Wrth fynd i lawr y grisiau daeth arogl hyfryd bacwn yn ffrio i'w ffroenau. Roedd Modryb Catrin, fel arfer, wedi codi o'i blaen! Roedd yr amser gyda'i modryb a'i hewyrth a'r plentyn wedi bod yn hapus iawn i Gwen, ond byddai'n meddwl yn aml sut oedd ei thad, a ble roedd e. Ac roedd Ifan a Catrin Puw yn hapusach nag erioed hefyd. Roedd Gwen yn gwmni ac yn help iddyn nhw, a'r plentyn yn werth y byd i ŵr a gwraig oedd wedi colli eu baban eu hunain.

'Gwen,' meddai ei modryb, 'godaist ti o'r diwedd!'

'Do. Ro'n i wedi meddwl codi o'ch bla'n chi heddi.'

Chwerthin wnaeth Catrin. 'Fe fydd raid i ti ddod o'r gwely'n go fore, 'merch i, os wyt ti am godi o fla'n dy Fodryb Catrin.'

'Mae wedi bwrw eira, Modryb Catrin.'

'Ydy mae. Ac mae dy ewyrth wedi bod yn peswch yn ystod y nos. Ro'n i wedi rhoi mêl a gwin eirin iddo fe cyn iddo fynd i'r gwely, ond fe ddihunodd yn y nos a dechre peswch . . .'

Sylweddolodd Gwen nad oedd ei modryb wedi cael llawer o gwsg y noson cynt. Ac eto roedd hi wedi codi o flaen pawb, fel arfer. Dyna sut un oedd ei modryb, meddyliodd – un yn cymryd y baich i gyd ar ei hysgwyddau ei hunan, heb rwgnach na gwneud dim ffys. Un benderfynol oedd hi hefyd. Doedd dim ots ganddi beth fyddai neb yn ei ddweud unwaith y byddai wedi gwneud penderfyniad. Roedd y bywyd caled ar y fferm fynyddig ar lethrau'r Frenni Fawr wedi gwneud iddi edrych yn hen, ond doedd hynny ddim wedi lladd ei hysbryd serch hynny; yn wir, roedd wedi'i gwneud yn fwy penderfynol os rhywbeth.

'Roeddet ti wedi addo mynd i fwrw golwg dros y defaid,' meddai wrth Gwen ar ôl i honno eistedd wrth y bwrdd i fwyta'i brecwast.

'Oeddwn; mi fydda i'n mynd nawr.'

'Ond mae'n oer 'y merch i, ac mae'r eira ar lawr.'

'O, does 'na ddim gormod o eira. A falle bydd y defaid wedi dod i lawr i'r gwaelod.'

'Mae hynny'n ddigon gwir. Fuswn i ddim yn

synnu tasen nhw i gyd yn y Ddôl Isa, neu yn yr ydlan yn cysgodi.'

'Gobeithio beth bynnag. Os ydyn nhw wedi dod yno, fydda i ddim yn hir.'

'Cofia wisgo digon amdanat. Mae'n fore oer iawn, a dwi ddim eisiau cael dau ynghanol yr annwyd yn y tŷ 'ma.'

Ar ôl gorffen ei brecwast gwisgodd Gwen ei chot las, gynnes, a chap gwyn, crwn wedi'i weu o wlân defaid yr Hafod, a gafodd gan ei modryb yn anrheg ben blwydd.

Cymerodd ffon fugail ei hewythr o'r gornel. 'Rwy'n mynd 'te, Modryb Catrin.'

Edrychodd ei modryb arni o'i chorun i'w sawdl.

'Rwyt ti'n bert, 'y merch i,' meddai. 'Os byddi di 'ma'n hir fe ga' i dipyn o drwbwl i gadw'r bechgyn ifanc draw!'

'Modryb Catrin!' meddai Gwen, gan wrido a gwenu arni yr un pryd.

'Gawn ni weld. Ond gwell i ti fynd nawr. A gofala na fyddi di'n mentro'n rhy bell o'r tŷ, rhag ofn i rywbeth ddigwydd i ti.'

Aeth Gwen allan drwy'r drws a'i dynnu ar ei hôl. Teimlodd yr oerfel yn finiog ar groen ei hwyneb. Roedd ei hanadl fel cymylau bach o fwg yn yr awyr denau. Safodd am eiliad i wrando am sŵn brefu, a fyddai'n dangos iddi ble roedd y defaid. Ond roedd y distawrwydd fel blanced dros bob man. Roedd hyd yn oed y nant fach oedd yn rhedeg heibio i dalcen yr ydlan yn dawel – am fod rhew y noson cynt wedi rhoi taw arni.

Yna torrodd bref un o'r defaid ar ei chlyw – mor sydyn ac mor agos nes bron codi dychryn arni. Roedd y sŵn wedi dod o'r ochr draw i'r ydlan. Aeth i'r cyfeiriad hwnnw. Ond cyn iddi gyrraedd yr ydlan clywodd sŵn arall a wnaeth iddi aros yn stond. Sŵn ceffyl yn gweryru'n isel. Beth oedd yr hen Robin – unig geffyl ei hewyrth – yn ei wneud yn yr ydlan? Aeth yn ei blaen wedyn. Llamodd ei chalon i dwll ei gwddf pan welodd geffyl du, dieithr, yn sefyll dan do'r sied wair, a'i ben i fyny, yn edrych arni. O ble roedd y creadur yma wedi dod? Roedd hi ar fin troi'n ôl am y tŷ i ddweud wrth ei modryb pan welodd rywbeth arall – rhywbeth du yn gorwedd yn y gwair. Roedd yn edrych fel pentwr o hen ddillad du. Gweryrodd y ceffyl eto – yn uwch ac yn fwy ofnus y tro hwn. Ar unwaith, gwelodd Gwen gyffro o dan y pentwr dillad a'r eiliad nesaf safodd dyn ar ei draed ynghanol y gwair. Roedd ei wallt du, cyrliog yn anniben a'i wyneb yn llwyd fel y galchen gan yr oerfel. Sylwodd Gwen fod y dyn yn crynu fel deilen. Oni bai iddi sylwi ar hynny, byddai wedi mynd nerth ei thraed am y tŷ.

'Beth y'ch chi'n 'neud fan hyn?' gofynnodd.

Daeth y dyn dieithr allan o'r gwair gan gerdded yn anystwyth fel hen ŵr. Wrth ddod taflodd ei glogyn du dros ei ysgwyddau. A'r eiliad honno sylweddolodd Gwen pwy oedd e! Cofiodd ei weld ym Mhont-y-glyn ar noson stormus wythnosau ynghynt. Dyma'r dyn oedd wedi gadael y baban – dyma'r Gwyddel nad oedd neb yn gwybod a oedd e'n fyw neu'n farw! Roedd e wedi dod 'nôl!

'Mae'n debyg . . .' roedd ei lais yn gras gan annwyd. 'Mae'n debyg 'mod i wedi dod o hyd i'r Hafod o'r diwedd?'

'Mae e wedi fy nabod inne,' meddyliodd Gwen. Yn uchel dywedodd, 'Ydych, ry'ch chi wedi cyrraedd yr Hafod. Roedd pawb yn meddwl eich bod chi wedi diflannu am byth.'

'Y plentyn – Arthur – ble mae e?'

'Mae e yma gyda ni yn yr Hafod.'

'Ydy e'n ddiogel?'

'Ydy.'

'O! Diolch i Dduw! Ac i chi a'ch tad hefyd, Miss.'

'Rhaid i chi ddod i mewn i'r tŷ ar unwaith, ry'ch chi'n edrych bron â rhewi.'

'Mae hynna'n wir, Miss.'

'Gwen yw'n enw i – dyna fydd pawb yn 'y ngalw i.'

Fe geisiodd y Gwyddel ifanc wenu ond roedd ei wyneb yn stiff gan yr oerfel a dim ond llwyddo i ddangos ei ddannedd gwyn wnaeth e.

'O'r gore, gadewch i ni fynd i'r tŷ, Gwen. Mi fydda i'n falch o weld tân unwaith eto. Ond . . . y

. . . mae'r ceffyl 'ma – y'ch chi'n meddwl y galla i 'i roi fe mewn . . .?'

'Mae lle iddo yn y stabal gyda Robin; mae dwy stal yno.'

'O'r gore, gadewch i ni fynd, Gwen.'

Cydiodd ym mhen y ceffyl du, mawr ac arweiniodd Gwen y ffordd tua'r tŷ. Roedd hi wedi anghofio'r cyfan am y defaid! Ar ôl dangos i'r Gwyddel ble roedd y stabal, rhedodd Gwen i'r tŷ i ddweud wrth ei modryb pwy oedd wedi cyrraedd.

'Caton pawb!' meddai honno pan glywodd. 'O ble mae'r creadur wedi dod? A sut ddaeth e o hyd i'r lle 'ma?'

Ysgydwodd Gwen ei phen. 'Fe gawn ni wybod pan ddaw e mewn.'

Torrodd Catrin ar ei thraws. 'A beth sy'n mynd i ddigwydd nawr – i Arthur bach? Fydd e'n mynd ag e, dwed?'

'Dim syniad.' Doedd Gwen ddim wedi meddwl am hynny.

'Fe fydd Ifan yn torri'i galon os bydd e'n gorfod mynd, Gwen. Rwyt ti'n gwbod yn iawn mor hoff y mae e ohono fe.'

'Ond Modryb fach, ro'n ni'n gwbod na allen ni ddim 'i gadw e! Fe yw etifedd Dôl-y-brain.'

'Hy! Fe fydde'n llawer gwell arno fe pe bai e'n aros gyda ni 'ma. Dim ond gofid mae e a'i fam wedi'i weld yn Nôl-y-brain. Nid cyfoeth yw'r cwbwl o bell ffordd, Gwen, cred ti fi.'

Yna dyma nhw'n clywed sŵn traed y Gwyddel yn dod at y drws. Aeth Gwen i'w agor iddo.

Daeth y dyn ifanc a'r clogyn du i mewn i'r tŷ â'r oerfel gydag e.

'Dewch at y tân ar unwaith,' meddai Catrin, ar ôl gweld yr olwg welw ar ei wyneb.

'Diolch,' meddai yntau, gan frysio at y tân. Eisteddodd ar y sgiw ac estyn ei ddwylo dideimlad at y fflamau. Gwelodd Catrin a Gwen ei fod yn crynu fel deilen.

'Rwy'n ofni, Gwen, y bydd gyda ni un arall yn yr annwyd yn y tŷ 'ma cyn bore fory – os nad rhywbeth gwaeth nag annwyd hefyd!'

Cydiodd Gwen yn y tebot mawr o'r pentan ac arllwysodd fasnaid o de poeth iddo.

'D-d-diolch i chi,' meddai'r Gwyddel. Ar ôl cymryd dracht hir o'r basn, fe drodd at y ddwy.

'Ro'n i wedi meddwl cyrraedd yma neithiwr. Roedd ceidwad newydd y tollborth wedi dweud eich bod chi a'ch tad wedi mynd i ryw Hafod . . . ond fe gollais y ffordd ar y mynydd. Pan ddaeth yr eira roedd pobman yn edrych yr un fath. Yn orie mân y bore ro'n i a'r ceffyl yn crwydro o gwmpas heb unrhyw syniad ble ro'n ni. Ond yn sydyn fe weles i olau gwan yn y pellter . . . fe ddaeth i'r golwg yn sydyn . . . ac dyma fi'n troi pen y ceffyl tuag ato ar unwaith . . . erbyn hyn rwy'n gwbod mai gole yn ffenest llofft y lle 'ma oedd e.'

'Fe gynnais i'r lamp pan ddechreuodd Ifan beswch,' meddai Catrin.

'Ifan?'

'Ie, Ifan y gŵr – mae e yn yr annwyd.'

Daeth hanner gwên dros wyneb y Gwyddel. 'Diolch yn fawr iddo am beswch, ddweda i. Rwy'n meddwl y byswn i a'r ceffyl wedi marw ar y mynydd oni bai i ni weld y gole. Pan gyrhaeddon ni 'ma, wel, roedd y sied wair yn rhoi tipyn o gysgod i ni. Ond roedd hi'n fileinig o oer, hyd yn oed fan'ny.'

Yfodd ragor o'r te poeth. Roedd Catrin yn gwrando'n astud ac yn ei wylio fel barcud.

'Ydych chi wedi dod i nôl Arthur bach?' gofynnodd.

Edrychodd y Gwyddel arni.

'Wel,' meddai, yna stopiodd. 'Chi'n gweld . . .' A stopio wedyn.

'Ry'n ni wedi agor y waled,' meddai Catrin.

'O? Ry'ch chi'n gwbod pwy yw e felly?'

'Ydyn,' meddai Catrin.

'Wel, rwy i wedi dod 'nôl i weld a oes modd cael gwared o John Mansel a'i fab o Ddôl-y-brain, gan mai Arthur – fel 'ry'ch chi'n gwybod, yw'r etifedd.'

'Ie, druan bach,' meddai Catrin. Edrychodd y Gwyddel yn syn arni.

'Druan bach? Ond Dôl-y-brain yw un o stadau mawr sir Gaerfyrddin.'

'Ie, gwaetha'r modd. Dyna pam mae'r bachgen bach yn cael 'i erlid a'i hela gan y dyn Mansel 'na.'

Roedd yna ddistawrwydd am funud.

'Roedd 'Nhad a finne'n ofni eich bod chi wedi boddi neu rywbeth pan ddaethoch chi ddim 'nôl i mofyn Arthur,' meddai Gwen, yn bennaf er mwyn rhoi taw ar ei modryb.

'O ie. Wel, fe lwyddes i i groesi'r afon yn iawn ar waetha'r llif. Roedd hi'n ddrwg gen i orfod eich gadel chi a'ch tad i ofalu am Arthur. Bues i'n meddwl yn hir yn yr hen feudy yna ar lan yr afon. Ac o'r diwedd fe benderfynes fod y plentyn yn fwy diogel gyda chi a'ch tad. Os oeddwn i'n mynd i'w gadw fe doedd gen i ddim siawns – nac ynte chwaith. Ond wrth 'i adael e gyda'ch tad a chithe, Gwen, fe lwyddes i groesi'n saff i Iwerddon. Gyda llaw, mae'r ymladd wedi dod i ben yno – dros dro beth bynnag; ond fe fydd yn siŵr o ddechre eto. Am y tro mae'r Saeson wedi ennill ac maen nhw wedi gwneud telerau – pawb wedi cael maddeuant am fentro ymladd â nhw! Gyda llaw, ble mae eich tad, Gwen?'

'Mae e wedi mynd i sir Gaerfyrddin i edrych am waith yn y pylle glo, falle. Dy'n ni ddim wedi clywed oddi wrtho er pan aeth e.'

'Gobeithio nad fi sy wedi bod yn achos iddo adael y tollborth?'

'Wel, doedd 'Nhad ddim yn hoffi'r gwaith beth bynnag. Doedd e erioed wedi bod yn hapus yn

cadw'r tollborth.' Ddywedodd Gwen ddim wrtho am y dyn oedd wedi dod i'r tŷ ac ymosod arni hi a thorri'r dodrefn.

'Beth sy'n mynd i ddigwydd nawr?' Roedd Catrin wedi dod yn ôl at ei phwynt unwaith eto. Ysgydwodd y Gwyddel ei ben cyrliog – mor gyrliog â phen Arthur, meddyliodd Gwen. Yna sylwodd am y tro cyntaf mor debyg i'w gilydd oedd y Gwyddel ifanc a'r plentyn. Ond doedd hynny ddim yn syndod o gwbwl, meddyliodd, gan fod y Gwyddel yn ewyrth iddo.

'Rhaid i ni – rywsut neu'i gilydd – gael John Mansel a'i ddynion allan o'r plas. Does gyda nhw ddim hawl i fod yno – dim hawl o gwbwl.'

'Mae'r llythyr yn y waled yn sôn am ewyllys,' meddai Catrin. 'Beth am honno?'

'Fe ddwedodd Ruth, hen nyrs fy chwaer yng nghyfraith, fod yr hen Syr wedi gadael y cyfan i Arthur yn y diwedd. Ond welais i ddim mo'r ewyllys â'm llygaid fy hunan.'

'Mae'r bachgen bach yn hapus iawn 'ma,' meddai Catrin. 'Ac mae pawb yn meddwl y byd ohono. Fe fydde'n llawer gwell iddo aros gyda ni.'

'Modryb Catrin!' meddai Gwen. 'Dy'ch chi ddim yn deall . . .'

'O nadw i wir! Ydw, yn deall yn iawn. Nhw a'u hen arian a'u plasau mowr! Does gan Ifan a finne ddim arian na phlas chwaith ond ry'n ni wedi bod yn hapus dros ben trwy'n hoes, ac ry'n ni'n gallu

cysgu yn ein gwelye'r nos heb ofni bod rhywun am ein lladd ni.'

'Does gyda ni ddim hawl 'i gadw fe, Modryb Catrin,' meddai Gwen, gan godi ei llais. 'Fe hoffwn i 'i gadw fe yn fwy na neb. Ata i daeth e gynta, a gyda fi mae e'n cysgu. Fe dorra i 'nghalon pan fydd e'n mynd; ond does gen i ddim hawl – na chithe, Modryb Catrin – i benderfynu ar ei ran a ydy e'n mynd i fod yn etifedd Dôl-y-brain neu beidio. Fe yw ŵyr Syr Henri Rhydderch, a'n busnes ni yw gwneud ein gore i weld 'i fod e'n cael 'i hawlie.'

Edrychodd Catrin yn syn arni. Doedd hi erioed wedi clywed Gwen yn codi ei llais fel yna o'r blaen. Edrychodd y dyn ifanc arni hefyd, a meddyliodd mor dlws oedd hi, a'r gwrid ar ei boch a'i llygaid yn fflachio.

'Rwy'n cytuno'n hollol,' meddai'r Gwyddel. 'Dyna fyddai dymuniad ei fam a'i dad-cu, rwy'n berffaith siŵr o hynny. Ac rwy i wedi addo i Ruth y bydda i'n gneud 'y ngore i'w amddiffyn e a'i gadw e . . .'

'Trwy ddianc dros y môr i Iwerddon,' meddai Catrin.

Tro'r Gwyddel oedd hi i wrido nawr.

'Y . . . doedd dim byd arall i'w wneud ar y pryd,' meddai'n dawel.

Edrychodd Catrin yn fwy tyner arno. 'Nagoedd, 'machgen i. Rhaid i chi fadde i hen wraig bigog fel fi. Wrth gwrs, chi'ch dau sy'n iawn. Er gwaeth neu er gwell mae Arthur wedi'i eni'n etifedd Dôl-y-brain, a rhaid i ni wneud ein gore i weld 'i fod e'n etifeddu stad a chyfoeth 'i dad-cu. Ond beth allwn ni wneud nawr?'

Ysgydwodd y Gwyddel ei ben.

'Wel,' meddai Gwen, 'mae cyfraith yn y wlad 'ma, on'd oes e?'

Chwarddodd y Gwyddel yn chwerw.

'Yng Nghymru fel yn Iwerddon – nhw yw'r gyfraith!' meddai.

'Nhw?' meddai Gwen.

'Yma – John Mansel a'i ffrindie; yn Iwerddon – y Saeson.'

'Ond mae'r gyfraith yn fwy na John Mansel a'i ffrindie!' meddai Gwen. 'Fe allwn ni gael cyngor cyfreithiwr . . .'

Ysgydwodd y Gwyddel ei ben eto.

'Na, rwy'n ofni y byddai unrhyw gyfreithiwr eisiau cannoedd o bunnoedd am gymryd achos pobl dlawd fel ni yn erbyn y gwŷr mowr – os allen ni gael cyfreithiwr o gwbwl.'

'Ond mae'r ewyllys . . .' meddai Gwen.

'Ie, ond dyw honno ddim gyda ni, Gwen. Ble mae hi? Gan Ruth? Os taw e, falle fod John Mansel wedi cael 'i ddwylo arni erbyn hyn, a'i llosgi.'

'Rwy'n gwybod am gyfreithiwr fuase'n fodlon ymladd ein hachos ni,' meddai Catrin yn sydyn.

'Modryb Catrin! Pwy?'

'Y dyn ifanc 'na sy'n ymladd cymaint dros y

tlodion tua Chaerfyrddin 'na – Hugh Williams. Rwy i wedi darllen amdano fe yn *Seren Cymru.* Mae e'n ymladd ar hyn o bryd i gael gwared â'r tollbyrth am fod pobol yn rhy dlawd i dalu am fynd trwyddyn nhw. Ych- a-fi! A dweud y gwir wrthot ti, Gwen, roedd gas gen i feddwl fod gen i frawd yn casglu'r hen dollau 'na. A ble bynnag mae e nawr, mae'n well gen i 'i fod e man lle mae e nag yn cadw tollborth Pont-y-glyn.'

Pennod 9

Aeth wythnos heibio ar fferm unig yr Hafod, a chiliodd yr eira oddi ar lethrau'r Frenni Fawr. Erbyn hyn roedd hi'n ddechrau Chwefror, a'r defaid yn wyna. Erbyn hyn hefyd roedd yr hen Ifan wedi cael gwared o'i annwyd ac yn gallu gofalu amdanyn nhw ei hunan unwaith eto.

Ac un noson roedd e wedi dod adre ag un oen bach du oedd wedi colli ei fam, a'i roi wrth y tân ar ddarn o hen flanced, ac roedd Catrin wedi rhoi potel iddo i'w sugno. Roedd yr oen yn rhyfeddod mawr i Arthur, a chyn pen dau ddiwrnod roedd y ddau'n chwarae gyda'i gilydd ac yn cael hwyl fawr iawn. Roedd Patrick wedi bod yn y gwely am dridiau dan annwyd trwm ar ôl bod ar goll ar y mynydd, ond nawr roedd yntau hefyd wedi gwella. Yn ystod y dyddiau roedd e wedi bod yn sâl yn y gwely, Gwen fyddai'n mynd â bwyd iddo gan amlaf, a byddai'n gofyn iddi eistedd gydag e tra byddai'n bwyta, gan ei fod yn teimlo'n unig iawn yn ei stafell ar y llofft yn y tŷ anghysbell hwnnw ar ochr y mynydd. Ac fel arfer hefyd byddai Arthur yn dod gyda Gwen, a byddai hwnnw'n cael llawer o sbort yn rowlio a thwmlo dros ei wely.

Roedd Patrick yn synnu gweld cymaint o newid yn y bachgen. Roedd e wedi tyfu'n rhyfeddol yn ystod yr wythnosau y bu yn Iwerddon. Roedd ei goesau bach wedi cryfhau a gallai gerdded yn llawer mwy hyderus na phan aeth ag e ar gefn ei geffyl o Ddôl-y-brain. Roedd e'n siarad tipyn erbyn hyn hefyd ac roedd y geiriau 'Gw', 'Ia' a 'Cat', sef ei ffordd e o ddweud enwau Gwen, Ifan a Catrin, ar ei wefusau drwy'r dydd. Weithiau hefyd – wrth chwarae – byddai'n stopio'n sydyn ac yn dweud 'Mam'. Bryd hynny byddai Gwen neu Catrin yn ei godi yn ei breichiau ac yn ei faldodi.

Un prynhawn pan ofynnodd Patrick am weld y plentyn roedd yn rhaid i Gwen druan fynd â'r oen bach du i fyny'r grisiau yn ei chôl hefyd, am fod y plentyn yn gwrthod mynd hebddo. Pan aeth hi i mewn i'r stafell â'r oen ar un fraich a'r plentyn ar y llall gwelodd Patrick yn edrych yn syn arni. Edrychodd hithau i fyw ei lygaid yntau, roedd yna ddistawrwydd rhyngddyn nhw. Roedd gwên fach dyner yn chwarae o gwmpas gwefusau'r Gwyddel a heb yn wybod iddi ei hunan fe ddechreuodd Gwen wrido. Yno roedd yr oen yn gwingo yn ei chôl. Ond o'r foment honno dechreuodd Gwen a Patrick fod yn swil yng nghwmni ei gilydd.

* * *

Roedd hi'n nos Sadwrn, a Catrin, Ifan, Gwen a'r Gwyddel yn eistedd o gwmpas tân mawr ar aelwyd yr Hafod. Roedd yr amser wedi dod i wneud rhywbeth ynglŷn â Dôl-y-brain a'r dihirod oedd wedi meddiannu'r lle.

'Mynd i Gaerfyrddin i weld y cyfreithiwr ifanc – y Mr Hugh Williams yw'r peth gore – neu o leia'r peth cynta i ni ei wneud,' meddai Catrin.

Roedd Ifan yn edrych i lygad y tân. 'Ie, wel, os wyt ti'n dweud, Catrin,' meddai'n freuddwydiol ac yn bwyllog.

'Mae'n rhaid i fi ddweud, Mrs Puw . . .' meddai'r Gwyddel.

'Catrin!'

'O'r gore – Catrin. Mae'n rhaid i fi dweud, does gen i ddim ffydd mewn cyfreithwyr. Os yw'r rhai sy yn y wlad 'ma'n debyg i'r rhai sy yn Iwerddon, maen nhw i gyd ar ochor y gwŷr mowr. Fe fuodd 'y mrawd gyda'r cyfreithwyr i geisio rhwystro'r Saeson rhag mynd â'i dir e. Ond fe gollodd y cwbwl.'

'Wel, 'te,' meddai Catrin yn bigog, 'beth yw'ch cyngor chi?'

'Ymladd! Dyna'r unig ffordd.'

'Ymladd! 'Y machgen glân i! Ydych chi'n meddwl y gallwch chi ymladd y gwŷr byddigion? Na fedrwch byth. Fe fyddwch chi yn y carchar cyn eich bod chi'n troi rownd. A pheth arall, pwy sy'n mynd i ymladd? Ni'n pedwar? O, na! Pe bydde

Tomos 'y mrawd 'ma nawr i'n helpu ni. Beth yn y byd oedd e'n feddwl wrth redeg bant fel'na, gwedwch?'

'Mae'n syndod na fysen ni wedi clywed gair oddi wrtho fe hefyd, Catrin, erbyn hyn,' meddai'r Ifan breuddwydiol o gornel pella'r sgiw.

Edrychodd Catrin ar ei gŵr. 'Wyt ti'n fodlon ymladd â'r gwŷr mowr, Ifan?' meddai.

'M?' Trodd Ifan ei ben yn bwyllog i edrych arni. 'O, ddaw hi ddim i hynny gobeithio, Catrin fach,' atebodd.

Yna clywodd y pedwar sŵn traed yn galed ar y rhew tu allan.

'Mae rhywun yn dod!' meddai Gwen, gan neidio ar ei thraed. Neidiodd y Gwyddel hefyd ar ei draed mewn fflach. Yna plygodd i gydio yn y pocer o waith gof oedd yn pwyso ar wal y pentan.

'Dduw Mawr!' meddai Catrin. 'Pwy all fod yna'r amser yma o'r nos? Does neb yn arfer dod mor hwyr.'

Daeth y traed yn nes.

'Modryb Catrin, rwy'n meddwl . . .' meddai Gwen.

'Sh!' meddai'r Gwyddel. 'Dim gair nawr!'

Daeth sŵn clicied y drws yn cael ei chodi. Yna roedd sŵn traed yn y cyntedd. Safodd y Gwyddel wrth ddrws y gegin a chododd y pocer mawr uwch ei ben.

'Na!' gwaeddodd Gwen. ''Nhad yw e!'

Edrychodd pawb yn syn arni. Yr eiliad nesaf cerddodd bwgan brain o ddyn i mewn i'r stafell. Roedd golwg ryfedd iawn arno. Roedd gwaed wedi ceulo ar ei wyneb ac roedd ei ddillad yn rhubanau am ei gorff.

'Nid dy dad yw hwn!' gwaeddodd Catrin mewn dychryn.

'Ie, ie, Catrin fach,' meddai Tomos Wiliam (gan mai dyna pwy oedd e).

Mewn winc roedd Gwen a Catrin wedi rhedeg ato. ''Nhad! Beth sy wedi digwydd i chi?'

'Ble mae dy farf di wedi mynd, Tomos? A beth yw'r picil 'ma sy arnat ti?' gofynnodd Catrin.

Yna gwelodd Tomos Wiliam y Gwyddel y tu ôl i'r drws a'r pocer yn ei law. Fe geisiodd wenu drwy'r llaid a'r gwaed oedd ar ei wyneb. 'Wel! Wel! Ry'ch chi wedi dod 'nôl yn fyw aton ni!'

Gwenodd Patrick arno. 'Rwy'n falch o'ch gweld chi, Tomos Wiliam. Os mai dyna pwy y'ch chi!'

'Tomos!' meddai Catrin yn ddifrifol. 'Wyt ti'n mynd i dweud wrthon ni be sy wedi digwydd neu nag wyt ti?'

'Pam daethoch chi'n ôl o'r gweithfeydd glo 'te, 'Nhad?' meddai Gwen.

'Fues i ddim yn agos i'r gweithfeydd,' oedd yr ateb.

'Ble buest ti 'te?' gofynnodd Catrin. 'Ond yn gynta dere i eistedd wrth y tân fan hyn. Rwyt ti'n edrych fel pe byddet ti ar fin cwmpo. Wyt ti'n gwbod bod Gwen wedi nabod sŵn dy droed di?'

Arweiniodd ei brawd at y sgiw yn ymyl y tân.

'Rwy i wedi bod yn Nôl-y-brain,' meddai Tomos Wiliam yn dawel.

'Brensiach annwl!' meddai Catrin, gan godi ei dwylo uwch ei phen.

'Ac rwy i wedi dod â hon, Catrin.' Rhoddodd Tomos Wiliam ei law fawlyd i mewn o dan ei got a thynnodd yr ewyllys.

'Beth yw e?' gofynnodd ei chwaer.

'Ewyllys yr hen Syr. Gwen fach, rwy i wedi bod yn rhedeg, a chwato yn y drain a'r drysi ers neithiwr, a dwi ddim wedi cael dim i'w fyta, na dim i'w yfed chwaith ond dŵr . . .'

Roedd ei lais yn wan a gallai pawb weld ei fod ar fin llewygu.

Cydiodd Catrin yn yr ewyllys o'i law. 'Gwen, 'merch i, gwell i ti wneud pryd o fwyd iddo ar unwaith.' Aeth Gwen allan i'r gegin fach. Nawr daeth y Gwyddel a Chatrin at ei gilydd ar ganol y llawr. Agorodd Catrin y papur trwchus ac edrychodd y Gwyddel dros ei hysgwydd.

'Rwy i wedi 'i darllen hi, Catrin,' meddai Tomos Wiliam. 'Sawl gwaith. Fe dorres y sêl . . . roedd ofn arna i y bydden nhw yn 'y nala i a mynd â'r ewyllys . . . ro'n i am gael y cwbwl oedd arni ar 'y nghof os gallwn i. I Arthur bach mae'r cwbwl – mae e'n dweud yn glir fan'na.'

'Ble cest ti'r ewyllys 'te, Tomos?' gofynnodd ei chwaer.

'Roedd hi gan Ruth, yr hen wraig yn y plas. Hi roddodd hi i fi. Ac rwy inne'n 'i rhoi hi i ti, Catrin.'

Roedd Tomos Wiliam yn siarad fel dyn meddw, ac yn teimlo'n benysgafn iawn.

Daeth Gwen â thipyn o fara a chaws iddo, a basnaid o laeth. Dechreuodd fwyta'n awchus, gan roi darnau mawr o'r bara yn ei geg ar y tro. Arhosodd y lleill nes oedd wedi llyncu tipyn o'r bwyd cyn holi rhagor ohono.

'Does dim byd mwy blasus na bara a chaws a basned o laeth ffres, oes e, Tomos?' meddai Ifan. 'Yn enwedig os byddwch chi wedi bod yn hir heb fwyd.'

'Maen nhw wedi bod yn chwilio amdana i ers neithiwr. Rwy i wedi bod yn trafaelu trwy'r caeau a'r coed – fentrwn ni ddim dilyn yr hewl.'

'Mae'n syndod i ti ffeindio dy ffordd,' meddai Catrin.

'Dilyn yr haul wnes i. Ro'n i'n gwybod bod hwnnw'n machlud yn y gorllewin a bod y Frenni Fowr i'r gorllewin. Ond wedi i fi fynd rai milltiroedd fe weles yr hen Frenni o 'mla'n, Catrin. Ro'n i'n iawn wedyn. Ond yn ystod y nos neithiwr fe fues i'n crwydro heb un syniad ble 'ro'n i'n mynd. Digwydd mynd i'r cyfeiriad iawn wnes i gwlei, os nad oedd rhyw reddf yn fy arwain i.'

Yna dyma Tomos Wiliam yn sôn fel roedd e wedi mynd i stafell yr hen wraig, wedi cael yr ewyllys ac wedi dianc. Roedd Gwen a Catrin yn llygaid ac yn glustiau i gyd pan adroddodd am John Mansel yn tanio'i bistol a'r ergyd yn taro'r drws.

'Wel, Tomos bach,' meddai Catrin, 'doedd dim syniad gen i fod gen i frawd mor gyfrwys – ac mor ddewr. Ro'n i wedi arfer meddwl amdanat ti . . .' Stopiodd ar hanner y frawddeg, pan welodd lygaid ei brawd yn dechrau cau.

'Wyt ti wedi gorffen â'r basn 'na, Tomos?' meddai wedyn. Roedd ofn arni fod hwnnw'n mynd i syrthio'n deilchion i'r llawr.

'Ydw,' meddai Tomos Wiliam, gan roi'r basn ar y pentan. Roedd e wedi gorffen y bara a chaws, ac yn pwyso'i ben blinedig ar gefn y sgiw nawr. Caeodd ei lygaid am ysbaid hir cyn eu hagor gydag ymdrech wedyn.

* * *

Pan ddihunodd Tomos Wiliam fore trannoeth, doedd ganddo'r syniad lleiaf ble roedd e na sut oedd wedi cyrraedd yno. Cododd ar ei eistedd a theimlodd boen drwy ei gorff fel pe bai wedi cael ei gicio'n ddidrugaredd. Yna cofiodd am ei daith bell dros fryn a phant a thrwy ddrain a llwyni. Trodd ei ben a gwelodd y Gwyddel yn cysgu'n dawel yn ei ymyl. Fe gofiodd iddo gyrraedd yr Hafod y noson cynt, ond doedd e ddim yn gallu cofio o gwbwl sut y daeth i'r gwely na phwy oedd wedi golchi ei wyneb a'i ddwylo.

Gorweddodd 'nôl ar ei obennydd a dechrau meddwl. Beth oedd yn mynd i ddigwydd nawr? Fe fyddai John Mansel a'i ddynion yn chwilio amdano ym mhobman. A oedd Ruth wedi cyfaddef ei bod wedi rhoi'r ewyllys iddo? Efallai fod yr hen greadures *wedi gorfod* cyfaddef.

Byddai rhaid cael yr ewyllys i ddwylo rhywun oedd yn deall y gyfraith – rhyw gyfreithiwr y gallen nhw ymddiried ynddo i'w chadw'n ddiogel ac a allai ddweud wrthyn nhw sut i weithredu. Doedd dim amser i'w golli, meddyliodd.

Cododd yn anystwyth o'r gwely a dihuno'r Gwyddel yr un pryd. Pan gyrhaeddodd y ddau y gegin dyma nhw'n gweld bod y lleill ar eu traed ers amser, ac roedd Ifan allan ers awr gyda'r ŵyn a'r mamogiaid.

Dros frecwast aeth y pedwar ohonyn nhw ati i drafod eu cynlluniau am y dyfodol. Pan glywodd Tomos Wiliam am y cyfreithiwr ifanc, Hugh Williams o Gaerfyrddin, gan Catrin, dywedodd ar unwaith mai ato fe y dylen nhw fynd, a hynny heb golli dim amser.

Wedi llawer o ddadlau, dyma nhw'n penderfynu – neu i fod yn fwy cywir – fe benderfynodd Catrin Puw, eu bod i gyd yn mynd gyda'i gilydd i Gaerfyrddin – y plentyn a chwbwl – i siarad â'r cyfreithiwr. Roedd yr hen Ifan, am unwaith yn ei fywyd, wedi ceisio dadlau â'i wraig ei bod yn amhosib iddo fe fynd, oherwydd ei waith er y fferm. Roedd yn rhaid iddo fod gyda'r defaid a'r ŵyn, yn enwedig yr adeg honno o'r flwyddyn. Ond roedd Catrin wedi dweud y byddai hi'n trefnu fod mab cymydog iddyn nhw'n dod i'r Hafod i ofalu am bopeth tra bydden nhw i ffwrdd.

Ac felly, ddeuddydd yn ddiweddarach, fe gychwynnodd cart yr Hafod, yn cael ei dynnu gan yr hen Robin, i lawr y lôn tua'r ffordd fawr. Yn y cart roedd Catrin Puw ac Ifan, Tomos Wiliam a Gwen, a'r tu ôl iddyn nhw ar gefn ei geffyl, roedd y Gwyddel.

Roedd Catrin wedi paratoi basgedaid o fwyd ar gyfer y daith ac roedd llond stên o laeth ffres hefyd ar lawr y cart. Roedd yn ddiwrnod sych a heulog trwy lwc, ac roedd y plentyn bach wrth ei fodd yn eistedd ar ben-glin yr hen Ifan, oedd yn gyrru'r cart.

Doedd neb yn synnu eu gweld yn mynd felly, oherwydd roedd llawer o deuluoedd yn teithio yn yr un modd i gyfeiriad Caerfyrddin y diwrnod hwnnw – rhai i'r farchnad i werthu wyau a menyn a chaws, a rhai'n mynd i ymweld â'u perthnasau, neu ar ryw fusnes neu'i gilydd. Ond pe bai rhyw ddynion ar gefn ceffylau yn dod i'w cwrdd byddai Tomos Wiliam yn gorwedd ar lawr y cart rhag ofn mai rhai o ddynion John Mansel oedden nhw'n chwilio amdano.

Er iddyn nhw ddechrau allan yn y bore bach, roedd hi'n bedwar o'r gloch y prynhawn arnyn nhw'n cyrraedd y dre. Ar yr hen Robin roedd y bai am hynny. Fe oedd y ceffyl mwyaf araf o ddigon o'r holl geffylau oedd ar y ffordd y diwrnod hwnnw ac roedd pob cerbyd arall wedi'u gadael ymhell ar ôl. Roedd hyd yn oed hen gert fach ac asyn yn ei thynnu wedi mynd heibio iddyn nhw a diflannu heibio i'r tro yn y ffordd o'u blaen. Wedyn roedden nhw wedi aros ddwywaith i gael bwyd.

Roedd Catrin wedi gofalu dod â chyfeiriad y cyfreithiwr gyda hi o *Seren Cymru*.

'Heol Awst, Ifan,' meddai ar ôl iddyn nhw ddod i gyrion y dre.

Ar ôl mynd am dipyn . . . 'Dyma ni yn Heol Awst 'te, Catrin,' meddai Ifan.

'Tŷ Gwyn,' meddai Catrin. Wedi holi hwn a'r llall dyma nhw'n dod at dŷ mawr, oedd wedi bod unwaith yn wyn, ond a oedd nawr yn edrych yn llwyd ac anniben.

'Dyma ni wedi cyrraedd,' meddai Tomos Wiliam.

'Sut wyt ti'n gwbod?' gofynnodd ei chwaer.

'Ond Catrin fach, mae'r enw fan'co uwchben y drws, w! Pwy sy'n mynd i siarad â'r cyfreithiwr?'

'Fe awn ni i gyd,' meddai Catrin. Ond a dweud y gwir aethon nhw ddim i gyd mewn gan fod yn rhaid gadael Ifan y tu allan i ofalu am yr hen geffyl.

Tomos Wiliam gurodd y drws. Daeth merch tua'r un oed â Gwen i'w agor.

'Ydy'r cyfreithiwr gartre?' gofynnodd Catrin.

'Ydy. Ydy e'n eich disgwyl chi?'

'Na'dy, debyg iawn,' meddai Catrin. 'Ond mae'n rhaid i ni 'i weld e serch hynny.'

'Rwy'n ofni na all e mo'ch gweld chi os nad y'ch chi wedi gneud trefniadau 'mlaen llaw – mae e'n brysur iawn.'

'Dwed di wrtho fe ein bod ni wedi dod ffordd bell a bod y mater yn bwysig.' Roedd Catrin yn swnio'n benderfynol. Edrychodd y forwyn yn amheus arni hi ac ar y lleill.

Yna aeth i mewn i'r tŷ a chau'r drws ar ei hôl. Safodd y cwmni bach y tu allan yn methu'n lân â phenderfynu ai cau'r drws yn eu hwynebau roedd y forwyn wedi'i wneud, neu fynd i ofyn i'r cyfreithiwr a oedd yn fodlon eu gweld? Ond cyn pen fawr o dro agorodd y drws eto. 'Mae e'n fodlon eich gweld chi – am bum munud,' meddai pan ddaeth hi'n ôl. Cyn iddi orffen bron roedd Catrin yn arwain y cwmni i'r tŷ. Roedden nhw nawr mewn stafell fawr gyda desg a llawer o gadeiriau, a thân coed braf yn llosgi'n siriol yn y grat.

Wrth y ddesg roedd gŵr tua deg ar hugain oed yn eistedd, ond roedd e'n edrych llawer hŷn am fod ei wallt yn dechrau gwynnu. Edrychodd ar y dieithriaid oedd newydd gerdded i mewn.

Syrthiodd ei lygad craff ar y plentyn bach yng nghôl Gwen, yna ar y Gwyddel oedd yn sefyll yn ei hymyl.

'Eisteddwch,' meddai. 'Rwy'n meddwl bod digon o gadeiriau i ni i gyd.'

Cyn bo hir roedd pawb wedi eistedd.

'Rwy'n ofni mai dim ond pum munud sydd gen i.' Tynnodd y dyn wats fawr o boced ei wasgod. Roedd Catrin wedi eistedd ar gadair uchel yn ymyl y ffenest, ond nawr dyma hi'n neidio ar ei thraed a mynd at y ddesg. 'Chi'n gweld y plentyn bach 'na?' gofynnodd. Edrychodd y cyfreithiwr yn syn arni hi yn gyntaf, yna ar y plentyn.

'Y . . . ydw,' meddai.

'Ydych chi'n gwybod pwy yw e, Mr Williams?' gofynnodd Catrin.

'Wei, na – yn naturiol; dwi erioed wedi 'i weld e o'r blaen. Mae e'n fachgen bach pert iawn, os ca i ddweud hynny . . . ond dwi ddim yn 'i nabod e, a dwi ddim yn eich nabod chwithe chwaith . . . y . . . falle byddech chi cystal . . .'

'Y crwt bach 'na yw etifedd Dôl-y-brain, Mr Williams!' meddai Catrin.

Cododd y cyfreithiwr ei aeliau. Yna chwarddodd. 'Dewch nawr, wraig dda!' meddai. 'Ond cyn mynd ymhellach, eich enw chi os gwelwch chi'n dda.'

Ond roedd Catrin ar gefn ei cheffyl. 'Catrin Puw ydw i, Mr Williams, a 'mrawd a'i ferch yw'r ddau yma. Fe gewch chi wbod pwy yw'r dyn ifanc mewn munud; ond nawr rwy i am i chi ddarllen y papur 'ma!'

'Beth yw e?' gofynnodd y cyfreithiwr.

'Ewyllys Syr Henri Rhydderch – y diweddar Syr Henri Rhydderch. Ac os darllenwch chi hi fe welwch 'i fod e'n gadel y cwbwl i'r plentyn bach 'ma.'

Cododd y cyfreithiwr ar ei draed.

'Gan bwyll nawr,' meddai. 'Beth y'ch chi'n geisio'i ddweud? On'd yw hi'n wir bod Harold Mansel, mab John Mansel o Aberteifi, wedi etifeddu Dôl-y-brain? Rwy i wedi clywed bod Syr Henri wedi marw heb wneud 'i ewyllys . . .'

'Ond roedd ganddo fe ferch,' meddai Catrin.

'Ac roedd e wedi diarddel honno ers tair blynedd.'

'Fe ddaeth hi adre pan oedd e ar 'i wely angau, ar ôl iddo ofyn amdani,' meddai Tomos Wiliam.

'Do,' meddai Catrin, 'ac fe faddeuodd y cyfan iddi ac fe wnaeth yr ewyllys 'ma.'

'Ond mae'n rhyfedd na fuaswn i wedi clywed am hyn, a finne'n byw yng Nghaerfyrddin 'ma. Ble mae'r ferch nawr? Mary oedd 'i henw hi, rwy'n cofio.'

'Mae hithe wedi marw, o'r frech wen, fel ei thad.' Plygodd y cyfreithiwr ei ben ac agorodd y papur melyn a digon bawlyd erbyn hyn. Dechreuodd ddarllen a syrthiodd distawrwydd dros yr stafell.

Ymhen tipyn cododd y cyfreithiwr ei ben ac edrychodd o un i'r llall mewn penbleth.

'A fydd un ohonoch chi mor garedig ag egluro pethe i fi?'

'Tomos,' meddai Catrin, 'dwed yr hanes i gyd wrtho fe.'

Ac fe adroddodd Tomos Wiliam ei stori ryfedd o'r dechrau i'r diwedd.

'A dyna'r gwirionedd i chi, syr,' meddai Catrin ar ôl iddo orffen. 'Rwy'n fodlon tyngu ar y Beibl mai dyna'r gwir. A nawr ry'n ni wedi dod i ofyn i chi helpu'r un bach 'ma i ga'l 'i etifeddiaeth.'

Cododd y cyfreithiwr ar ei draed a cherdded at Gwen oedd yn eistedd yn ymyl y tân, a'r plentyn yn ei chôl. Estynnodd ei ddwy fraich.

'Dewch ag e i fi,' meddai, gan wenu. Cododd y plentyn i'w gôl ac edrychodd arno'n fanwl.

'Rhydderch bach wyt ti, dwed?' meddai.

'Gw . . . Gw!' meddai'r plentyn gan estyn ei freichiau at Gwen.

'Ti yw etifedd Dôl-y-brain, dwed?' meddai'r cyfreithiwr wedyn. Roedd hi'n amlwg ei fod yn hoff o blant. Ond doedd y plentyn ddim yn hoff iawn ohono e.

'Gw, Gw . . . Gw,' meddai, gan wingo tuag at Gwen. Chwerthin wnaeth y cyfreithiwr gan ei roi yn ôl iddi.

'Os gellwch chi 'i helpu fe, syr,' meddai Gwen. Edrychodd Hugh Williams yn hir arni.

'O, rwy'n mynd i'w helpu e, 'merch i,' meddai. Edrychodd Catrin yn fuddugoliaethus o un i'r llall.

'Ddwedes i, ond do fe? Ddwedes i y bydde Mr Williams yn ein helpu ni,' meddai.

'Ydych chi'n mynd i ymladd yr achos yn y llysoedd?' gofynnodd Patrick.

'Wrth gwrs. Ond rwy i am eich rhybuddio chi nawr fe all fod yn achos hir. Mae olwynion y gyfraith yn troi'n araf iawn y dyddiau hyn yn sir Gaerfyrddin, ac mae gan John Mansel ei gyfeillion mewn lleoedd uchel. Ond rwy'n meddwl yn siŵr mai ni fydd yn ennill yr achos yn y diwedd. Mae'n amlwg fod John Mansel a'i fab wedi ceisio cuddio'r ffaith fod Mary, merch yr hen Syr, wedi dod 'nôl o gwbwl. Maen nhw wedi'i chladdu hi heb yn wbod i neb – heb yn wbod i mi beth bynnag. Ond mae rhai o'r gweision a'r morynion yn gwbod, ac mae'r hen arddwr yna – Watcyn – wedi arwyddo'r ewyllys. Fe ddylai ei dystiolaeth e a Ruth fod yn ddigon. Ond – fel y dwedes i – peidiwch â disgwyl gwyrthiau ar unwaith.'

'Ie,' meddai Tomos Wiliam, 'a thra bydd y gyfraith yn llusgo'i thraed ac yn cymryd misoedd i setlo'r achos, fe fydd John a Harold Mansel wrthi'n gwerthu hen ddarluniau a hen lestri'r plas.'

'Beth? Sut y'ch chi'n gwybod hynny?' gofynnodd y cyfreithiwr.

'Ruth ddwedodd. Roedd Harold Mansel yn Llundain yn gwerthu dau ddarlun pan o'n i yno.'

Neidiodd Hugh Williams ar ei draed. 'Ac roedd Syr Henri yn gasglwr darluniau a hen lestri. Mae pawb yn gwybod mai'r darluniau – o waith yr Hen Feistri – yw cyfoeth pennaf Dôl-y-brain. Os yw John Mansel a'i fab yn gwerthu'r rheini, fe fydd rhaid rhoi stop arnyn nhw.'

'Ond sut?' gofynnodd Tomos Wiliam. Edrychodd y cyfreithiwr o un i'r llall.

'Fe fydd rhaid ei daflu e a'i fab a'i ddynion allan o'r plas, a chymryd y lle'n ôl, yn enw'r bachgen bach 'na.'

Roedd y geiriau hyn mor syfrdanol nes gwneud i bawb edrych ar y cyfreithiwr fel pe bai wedi dechrau drysu – pawb ond Patrick O'Kelly. Roedd pen hwnnw'n mynd i fyny ac i lawr fel pendil cloc i ddangos ei fod yn cytuno'n llwyr.

'Ond,' meddai Tomos Wiliam, 'fedrwn ni byth – does gyda ni ddim gobaith yn erbyn John Mansel a'r dynion 'na sy gydag e.'

'Nawr, gwrandewch arna i!' Roedd llygaid du Hugh Williams yn fflachio wrth iddo sefyll yn ymyl y silff ben tân a'i gefn at y fflamau. Rhoddodd ei fodiau ym mhocedi uchaf ei wasgod liwgar. 'Mae'n rhaid i chi ymladd. Chewch chi ddim byd heb ymladd amdano. Mae'r gwŷr mowr yn gallu gwneud unrhyw beth, bron. Pam? Am fod pobol gyffredin fel chi yn dweud "Does gyda ni ddim gobaith." Ry'ch chi'n gadel iddyn nhw gael 'u ffordd. Dyna'r tollbyrth melltigedig 'na sy ar y ffyrdd ymhobman – fe ddylen nhw fod wedi'u tynnu lawr a'u llosgi ers llawer dydd, oherwydd dy'n nhw'n ddim ond ffordd arall i'r gwŷr mowr wneud arian ar gefn y bobol dlawd. Ond oes digon o asgwrn cefn gyda chi i'w tynnu nhw lawr? Nagoes; mae'n well gyda chi fynd yn dlotach bob dydd tra bydd y gwŷr mowr yn mynd yn fwy cyfoethog.'

Tynnodd ei fodiau allan o boced ei wasgod, ac am funud edrychodd arnyn nhw heb ddweud gair.

'Ond,' meddai wedyn, 'mae 'na lawer o ddynion, mwy dewr na'r gweddill, wedi dweud wrtha i mai dim ond eisie arweinydd sy arnyn nhw ac fe fydden nhw'n barod i ymladd yn erbyn yr holl anghyfiawnder sy yn y wlad ar hyn o hryd.'

Yna, gan ostwng ei lais, dywedodd, 'Ac rwy i wedi addo bod yn arweinydd iddyn nhw. Rwy'n mynd i ddweud cyfrinach wrthoch chi nawr. Mae 'na ddynion yn barod i dorri'r tollbyrth dan gysgod nos. Mae'r cynllunie wedi'u gwneud. Ac nid yn unig y tollbyrth chwaith. Na, rwy'n meddwl y bydde'r bechgyn yma rwy'n sôn amdanyn nhw'n fodlon helpu yn yr achos 'ma – i gael gwared ar John Mansel a'i ddynion o Ddôl-y-brain.'

Dechreuodd gerdded o gwmpas y stafell fawr. 'Mae'r dynion yma wedi tyngu llw i ymladd yn erbyn pob anghyfiawnder ac i amddiffyn unrhyw un sydd yn cael ei gam-drin gan y gwŷr bonheddig. Pobl ddienw y'n nhw – ffermwyr, crefftwyr, gweision ffermydd – yn ystod y dydd. Ond yn ystod y nos maen nhw'n gwmni o fechgyn sydd ddim yn ofni neb na dim. Cyn ho hir fe fydd pob tollborth yn sir Gaerfyrddin, a thrwy'r wlad, wedi'i chwalu . . . ac fe fydd y gwŷr mowr wedi dysgu bod y bobol dlawd yn gallu troi arnyn nhw!'

Roedd ei lygaid yn fflachio ac roedd e'n anadlu'n drwm fel pe bai o dan deimlad dwys.

'Maen nhw wedi dechre ar 'u gwaith yn barod. Mae ceidwad y wyrcws yn y dre 'ma wedi bod yn cadw'r tlodion o dan ei ofal – yn brin o fwyd. Mae e wedi bod yn gwario'r arian roedd e wedi'i ga'l i brynu bwyd iddyn nhw, i brynu pethau iddo'i hunan. Wel, wythnos yn ôl, aeth hanner dwsin o ddynion i'w dŷ e i'w rybuddio y byddai rhyw niwed yn siŵr o ddigwydd iddo os byddai'n dal i wneud cam â thlodion y wyrcws. Roedd y dynion hyn wedi duo'u hwynebau ac wedi gwisgo dillad merched. Ac y'ch chi'n gwybod beth yw'r enw maen nhw wedi'i ddewis arnyn nhw 'u hunen? Wel, Merched Beca! Ac rwy'n siŵr y bydd Merched Beca'n fodlon amddiffyn cam y plentyn bach 'ma – etifedd stad Dôl-y-brain. Y'ch chi'n barod i'w helpu nhw?'

'Ydyn,' meddai'r Gwyddel a Tomos Wiliam gyda'i gilydd.

Gwenodd y cyfreithiwr nawr. 'O'r gore,' meddai, 'gwell i ni adel yr ewyllys gyda fi nawr. Mi fydda i'n mynd i weld yr Uchel Sirydd ar unwaith, i roi'r holl dystiolaeth o'i flaen e. Yn ffodus iawn fe fydd y Barnwr Talbot – barnwr cyfiawn dros ben – yn dod i Gaerfyrddin i gynnal y Frawdlys cyn pen mis. Ond cyn hynny rwy i am weld Arthur bach 'nôl yn y plas, cyn i John Mansel a'i fab werthu rhagor o'r hen bethau gwerthfawr 'na oedd yn eiddo i'r hen Syr. Peth arall, mae yna hen ddywediad gan y Saeson – ac maen nhw wedi credu ynddo fe erioed – "Possession is nine-tenths of the law". Nawr os bydd John Mansel a'i fab yn y plas pan ddaw'r barnwr, fe fydd ein hachos ni'n siŵr o gymryd llawer mwy o amser yn y llysoedd. Ond os bydd y perchennog iawn yno – sef y plentyn – fydd gan John Mansel ddim coes i sefyll arni!'

Pennod 10

Nos trannoeth roedd tri dyn yn sefyll yn y tywyllwch o dan gysgod y coed mawr oedd yn tyfu o gwmpas Plas Dôl-y-brain. Roedd y tri'n pwyso yn erbyn y wal uchel a oedd o gwmpas y plas i gyd. Disgwyl am arwydd oedden nhw.

Tomos Wiliam, y Gwyddel ac Ifan Puw oedd yno, a'r arwydd roedden nhw'n ei ddisgwyl oedd tri chwibaniad isel. Y sŵn hwnnw fyddai'n arwydd fod Merched Beca wedi cyrraedd i'w helpu i ymosod ar y rhai oedd wedi cymryd y plas.

Roedd y tri wedi sefyll yno'n hir – yn disgwyl. Roedd y Gwyddel yn ddiamynedd iawn, a phob nawr ac yn y man byddai'n dechrau cerdded o gwmpas, am na fedrai aros yn llonydd.

'Ddôn nhw ddim,' sibrydodd wrth y ddau arall. Atebodd yr un o'r ddau. Roedd y gwynt yn suo yn y coed mawr uwch eu pennau, ac weithiau gallent glywed cyffro rhyw greadur bach yn y dail crin. Doedd dim un sŵn arall. Tynnodd Tomos Wiliam ei law dros gerrig solet y wal uchel. Byddai'n rhaid mynd dros y wal, meddyliodd, wedi i'r rhai oedd wedi'u galw'u hunain yn Ferched Beca gyrraedd. Ac unwaith y bydden nhw wedi mynd dros y wal fawr, fyddai dim troi'n ôl wedyn. Yn wahanol i'r Gwyddel roedd Tomos Wiliam yn meddwl y byddai Merched Beca yn siŵr o ddod. Roedd y cyfreithiwr wedi dweud – ac roedd ganddo feddwl uchel o hwnnw erbyn hyn.

Yna neidiodd y tri oddi wrth y wal ar ôl clywed tri chwibaniad byr yn eu hymyl. Cerddodd y tri'n frysiog ond yn ddistaw i gyfeiriad y sŵn. Yna dyma nhw'n clywed sŵn arall – sŵn ceffyl yn gweryru'n isel. Yn sydyn roedd golau yn disgleirio arnyn nhw. Roedd rhywun yn cario lamp wedi'i thywyllu, a nawr roedd e wedi tynnu'r gorchudd oddi arni am foment er mwyn eu gweld yn iawn.

'Tomos Wiliam?' holodd llais cryf, dwfn o'r tu ôl i'r golau.

'Ie, fi yw Tomos Wiliam.' Yna roedd y lantarn wedi'i thywyllu eto, ond nid cyn i'r tri weld golygfa ryfedd yn y cysgodion, sef tua dwsin o greaduriaid â wynebau du a'r rheini'n edrych yn ddychrynllyd ac yn chwerthinllyd yr un pryd – mewn dillad merched o bob lliw a llun. Er nad oedd yn sylweddoli hynny ar y pryd, roedd Tomos Wiliam wedi cael cip ar rai o'r dynion a fyddai'n ddiweddarach yn dryllio'r holl dollbyrth ar ffyrdd sir Gaerfyrddin, a'u clirio oddi ar heolydd Cymru gyfan.

'O'r gore,' meddai'r dyn â'r llais cryf, dwfn,

'rwy'n deall dy fod wedi bod yn gweithio yn y plas?'

'Do.'

'Fe gei di arwain, felly. Fe gei di fynd dros y wal yn gynta.'

'Fi? Ond sut? Mae'r wal yn uchel.'

'Morus, dere â'r ceffyl du at y wal fan yma.'

Yn y tywyllwch clywodd y tri sŵn carnau'r ceffyl yn nesu at y wal.

'Fe gei di fynd ar dy draed ar gefn y ceffyl. Wedyn fe fydd yn hawdd i ti gyrraedd top y wal a neidio. Gobeithio mai pridd meddal a phorfa sy yr ochor draw i'r wal.'

Dechreuodd rhywun chwerthin yn isel. Cydiodd un o'r 'Merched' yng nghoes Tomos Wiliam a'i godi ar gefn y ceffyl. O'r fan honno cafodd afael yn nhop y wal a'i dynnu ei hun i fyny. Wedyn taflodd goes drosti. Yr eiliad nesaf roedd yn disgyn trwy ddrain a brigau mân i'r llawr yr ochr arall. Glaniodd yn ddiogel ar borfa feddal, ond roedd e'n ofni ei fod wedi gwneud twrw mawr wrth ddisgyn. Symudodd o'r ffordd mewn pryd i roi lle i'r Gwyddel, a ddisgynnodd ar ei draed yn ei ymyl. Yna roedd sŵn tuchan uchel ar ben y wal a dyma Ifan Puw yn disgyn ar y borfa ac yn rowlio fel gwahadden yn y drain.

Cyn bo hir roedd tua dwsin o Ferched Beca wedi dod dros y wal atyn nhw.

Nawr roedd goleuadau'r plas yn y golwg. Roedd

golau yn ffenestri'r llofft yn ogystal â'r rhai ar y llawr.

'Ymla'n â ni,' meddai'r llais dwfn. 'Tomos Wiliam i arwain.'

Er gwaetha'r tywyllwch, roedd Tomos Wiliam yn gwybod eu bod wedi glanio yn y gerddi, ac o'r fan honno roedd e'n gwybod yn iawn am y llwybrau oedd yn arwain i'r plas.

'Oes gyda ni ryw gynllun . . .?' gofynnodd.

'Dim ond un,' meddai'r llais cryf, dwfn, 'sef ein bod ni'n mynd mewn i'r plas, yn cydio yn John Mansel a'i fab (os yw e yno) – ac unrhyw un arall fydd yn ceisio'n rhwystro ni. Yna fe fyddwn ni'n 'u clymu nhw a mynd â nhw gyda ni. Wedyn fe fyddwch chi'n cloi'r porth ac yn cadw pawb allan o'r plas nes bydd Mr Hugh Williams wedi dod i ddweud wrthoch chi beth i'w neud nesa. Fe fydda i'n bersonol yn rhoi gwybod i'r ddau Fansel y bydd Merched Beca yn ddig iawn os bydd un ohonyn nhw'n ceisio dod 'nôl yn agos i'r lle 'ma byth eto.'

'Y'ch chi'n sylweddoli bod John Mansel a'i ddynion yn cario arfau?' gofynnodd Tomos Wiliam.

'Ry'n ninne'n cario arfau hefyd, 'y machgen i,' meddai'r llais, yn fwy tawel y tro hwn.

'Ffordd hyn,' meddai Tomos Wiliam. A heb oedi rhagor, arweiniodd y ffordd tua'r plas.

Cerddodd y criw yn ddistaw ar hyd y llwybr trwy ganol y gerddi. Doedd neb o gwmpas. Daeth y goleuadau yn nes. Cyn bo hir roedden nhw'n dringo'r grisiau i'r lawnt o flaen y plas.

Yna dechreuodd pethau ddigwydd yn sydyn. Cyfarthodd ci o'r tu mewn i'r plas. A oedd wedi clywed eu sŵn ar y lawnt? Roedden nhw nawr yn sefyll yn dwr bach o ddynion a 'merched' – yng ngolau ffenestri mawr y plas, a gallai unrhyw un oedd yno eu gweld yn hawdd. Yna agorodd y drws a rhuthrodd y ci ar draws y lawnt. Daeth tuag atyn nhw a chwyrnu'n isel o'u cwmpas.

Trawodd un o Ferched Beca y ci yn ei ben â phastwn nes oedd yn gorwedd yn gorff diymadferth ar y llawr.

'Pwy sy 'na?' gwaeddodd llais o'r drws. Heb ateb rhuthrodd Merched Beca a'r tri arall ar draws y lawnt am y drws mawr. Ond cyn iddyn nhw ei gyrraedd roedd wedi'i gau a'i folltio yn eu hwynebau.

'Oes yna ffordd arall i fynd i mewn?' sibrydodd rhywun.

'Oes, dilynwch fi,' sibrydodd Tomos Wiliam. Roedd e'n teimlo'n gynhyrfus iawn. Doedd e ddim wedi torri mewn i dŷ neb erioed o'r blaen. Meddyliodd am yr hen Ifan Puw. Sut oedd y creadur diniwed hwnnw'n teimlo?

Arweiniodd y lleill at y rhan o'r plas lle roedd y gweision a'r morynion. Gadawodd y dyn â'r llais dwfn bedwar o'r Merched i wylio'r porth mawr oedd newydd gael ei folltio yn eu herbyn, ac aeth e a'r lleill ar ôl Tomos Wiliam. Doedd dim angen mynd yn ddistaw nawr, gan fod dynion John Mansel yn gwybod eu bod nhw yno.

Daeth Tomos Wiliam at ddrws y gegin. Ceisiodd agor y drws, ond gan ei bod wedi mynd yn hwyr, doedd hi'n fawr o syndod ei fod ar glo. Curodd arno â'i ddwrn, ond ddaeth neb.

'Allwn ni dorri'r ffenestri,' meddai'r dyn â'r llais dwfn yn ddiamynedd.

Ond cyn iddyn nhw orfod gwneud hynny dyma nhw'n gweld golau gwan yn ffenestri'r gegin. Roedd rhywun yn dod at y drws.

Daeth sŵn y bollt yn cael ei thynnu.

Agorodd y drws a gwelodd pawb hen wraig â channwyll grynedig yn ei llaw yn sefyll yno.

'Pwy sy'n curo mor hwyr y nos?' gofynnodd yr hen wraig, gan geisio syllu i'r tywyllwch.

'Ruth!' meddai Tomos Wiliam. 'Peidiwch â chael ofn – fi sy 'ma, Tomos Wiliam.'

'Tomos Wiliam! Na, na, mae'n rhy beryglus i chi ddod 'nôl 'ma. Rhaid i chi fynd ar unwaith! Y . . . lwyddoch chi . . .?'

'Do, mae'r ewyllys mewn lle diogel, ac mae gen i gyfeillion gyda fi, Ruth, sy'n mynd i gael gwared ar John Mansel a'i ddynion o Ddôl-y-brain. Does dim amser i egluro popeth nawr. Ry'n ni am ddod mewn i'r tŷ, ac rwy i am i chi ein harwain ni at John Mansel.'

'Ydw i'n gweld Mr Patrick O'Kelly gyda chi

yn fan'na, Tomos Wiliam?' gofynnodd yr hen wraig.

'Ydy, mae e wedi dod 'nôl. Ond does dim amser i'w golli.'

'Dewch,' meddai'r hen wraig, gan droi ei chefn a cherdded ar draws y gegin at y drws oedd yn arwain at y grisiau, oedd yn eu tro yn arwain i'r llofft lle roedd stafelloedd gwely'r gweision a'r morynion.

Aeth y cwmni rhyfedd ar ei hôl. Roedd hi'n amlwg nad oedd yr hen wraig wedi gweld y creaduriaid hynod oedd yn dilyn Tomos Wiliam, y Gwyddel ac Ifan Puw. Dwmp, dwmp i fyny'r grisiau aeth pawb, gan ddilyn golau gwan y gannwyll. Wedyn ar draws y coridor cul ac at y landin lle roedd Tomos Wiliam wedi teimlo ofn y golau. Roedden nhw nawr ar ben y grisiau oedd yn arwain i lawr i'r rhan o'r plas lle roedd John Mansel a'i ddynion. Trodd Ruth ei phen ar ben y landin, ac am y tro cyntaf gwelodd y creaduriaid â'r wynebau du a'r dillad merched. Aeth ei llaw at ei cheg mewn dychryn.

'Tomos Wiliam?' sibrydodd. Cydiodd hwnnw yn ei braich.

'Ffrindiau y'n nhw, Ruth, peidiwch â phoeni.'

'Ond . . .'

'Gadewch i ni fynd,' meddai Tomos Wiliam yn isel ac yn amyneddgar, 'fe gaf fi amser i egluro wedyn.'

Aeth yr hen wraig i lawr y grisiau mawr wedyn. Roedd carped trwchus dan draed felly wnaeth y cwmni fawr ddim sŵn wrth fynd. Erbyn hyn roedd Tomos Wiliam wedi cael cyfle i weld perchen y llais cryf, trwm. Roedd e'n glorwth anferth o ddyn mawr, a'r dillad merched oedd amdano'n edrych yn rhyfedd iawn. Daethon nhw i waelod y grisiau heb weld neb. O'r fan honno gallen nhw glywed siarad uchel yn mynd ymlaen y tu ôl i'r drws cau ar y dde. Plygodd y Gwyddel ei glust wrth dwll y clo. Ond roedd y dyn mawr yn ddiamynedd. Aeth yn ddistaw at y drws, gan wthio Patrick o'r ffordd. Yna dyma fe'n rhoi ei ysgwydd yn erbyn y drws ac yn gwneud arwydd ar y lleill i fod yn barod i'w helpu.

'Nawr!' gwaeddodd y llais dwfn. Hyrddiodd y cawr ei gorff mawr yn erbyn y drws.

Agorodd hwnnw gyda chlec anferth, a'r eiliad nesaf roedd Merched Beca'n sefyll ar ganol llawr y stafell. Rhaid bod yr olwg ddychrynllyd arnyn nhw – yn eu sgertiau mawr, a'u hwynebau wedi cael eu pardduo, wedi codi dychryn hyd yn oed ar John Mansel, oherwydd er bod ganddo bistol yn ei law, fe fethodd â'i danio. Yn lle hynny fe arhosodd am eiliad a'i geg ar agor i edrych ar yr olygfa o'i flaen. A dyna'r eiliad dyngedfennol. Cyn iddo gael ail gyfle roedd y Gwyddel wedi disgyn arno a dwyn y dryll o'i law.

Ond doedd John Mansel ddim wedi gorffen

eto. Cyn gynted ag y daeth ato'i hunan dyma fe'n dechrau gweiddi dros y lle i gyd, 'Help! Help!' Trawodd y dyn mawr â'r llais dwfn e o dan ei ên nes oedd ar ei hyd ar y llawr. Ond roedd pump arall yn y stafell. Roedd rheini'n amlwg wedi bod yn yfed gyda John Mansel pan dorrodd Merched Beca'r drws. Ond wedi gweld eu meistr yn cael ei lorio mor ddiseremoni doedd yr un o'r pump yn awyddus i ymladd yn erbyn 'merched' duon, rhyfedd oedd yn sydyn wedi mynd yn llond stafell. Roedd pawb yn edrych ar y llawr lle roedd John Mansel yn dechrau dod ato'i hun ar ôl gorwedd yno'n hollol llonydd am dipyn.

Y Gwyddel a dorrodd y distawrwydd.

'A! Harold Mansel,' meddai, 'dyma ni'n cwrdd unwaith 'to, ond mewn amgylchiadau go wahanol y tro 'ma.'

Sylwodd pawb ei fod yn siarad â dyn ifanc, tenau a oedd yn eistedd ym mhen pellaf y bwrdd mawr.

'Rwyt ti wedi mynd yn rhy bell y tro 'ma, O'Kelly,' meddai'r dyn ifanc, tenau rhwng ei ddannedd. Yna roedd John Mansel wedi codi'n simsan ar ei draed. Nawr roedd e'n pwyso ar y wal a llinell denau o waed yn rhedeg i lawr ei ên. Disgynnodd ei lygaid ar wyneb Tomos Wiliam.

'Ti'r cythraul!' meddai'n isel. 'Fy ngarddwr i, iefe? Ble ydw i wedi dy weld ti o'r blaen, dwed? Ro'n i'n dy amau di pan ddes ti yma i ofyn am waith . . .'

'Tomos Wiliam ydw i. Fi oedd yn cadw tollborth Pont-y-glyn pan ddaethoch chi a'ch dynion i'r tŷ i chwilio. Roedd gen i farf bryd hynny. Fi a'm merch, Gwen, guddiodd y plentyn bach – etifedd y plas 'ma.'

Agorodd llygaid John Mansel led y pen. 'Ti, iefe? Ble guddiest ti'r plentyn, dwed?'

Daeth hanner gwên i wyneb Tomos Wiliam. 'Roedd e yn y gwely gyda Gwen fy merch.'

Gwgodd John Mansel. 'Ble mae e nawr?'

'Mae e'n ddigon diogel. Ac mae ewyllys olaf yr hen Syr yn ddiogel hefyd, ac mae honno'n gadael y cyfan i'r plentyn – Arthur.'

'Ti'n dweud celwydd!' gwaeddodd Harold Mansel gan neidio ar ei draed.

'Na, Harold Mansel,' meddai llais o'r drws, 'mae e'n dweud y gwir.'

Trodd pawb ei ben tua'r drws. Yno roedd Ruth, yn pwyso ar ei ffon, a'i hwyneb yn llwyd ac yn rhychiog fel hen femrwn.

'I mi y gadawodd yr hen Syr y cwbwl!' gwaeddodd Harold Mansel eto. 'Does yna ddim ewyllys arall.'

'Oes,' meddai Ruth, gan gerdded yn gloff i mewn i'r stafell, 'a diolch i Dduw am hynny!'

'Ry'ch chi'n dod gyda ni, John Mansel,' meddai'r dyn mawr â'r llais dwfn.

'Dod gyda chi? I ble?'

'Yn ddigon pell o Ddôl-y-brain. Ry'ch chi wedi

bod 'ma'n rhy hir. Does gyda chi ddim busnes i fod 'ma o gwbwl.'

'Oes!' gwaeddodd Harold Mansel dros y lle i gyd. 'Pan briododd Mary'r Gwyddel fe wnaeth fy ewyrth ei ewyllys yn gadael y plas a phopeth i mi.'

'Falle do fe, Harold Mansel,' meddai Ruth, 'dwi ddim yn gwybod am hynny . . . mae'n bosib dy fod yn dweud y gwir. Ond fe wnaeth Syr Henri ewyllys arall cyn marw – fi a Watcyn y garddwr wnaeth ei harwyddo hi – yn gadael y cyfan i Arthur, mab dwy flwydd oed Miss Mary. Ac rwy i wedi'i gweld hi.'

'A finne hefyd,' meddai Tomos Wiliam.

'Beth bynnag, John Mansel,' meddai Ruth, gan sefyll i fyny'n syth ar ganol y llawr, 'roeddech chi'n gwbod yn iawn – pan ddaeth Miss Mary adre a'i phlentyn gyda hi, nad oedd gan Harold ddim siawns. Dyna pam y buoch chi'n ceisio dod o hyd i Arthur. Duw a ŵyr beth fuasech chi wedi'i wneud iddo fe tase chi wedi llwyddo i gael eich dwylo arno. Dihiryn o ddyn y'ch chi, John Mansel, a gore i gyd po gynta i chi adel Dôl-y-brain am byth!'

Roedd llais y wraig yn crynu.

'Ie, a'ch mab hefyd, ŵr bonheddig,' meddai'r dyn mawr, 'ac os dewch chi'n agos i'r lle 'ma 'to, fe fydd Merched Beca'n delio â chi.'

'Merched Beca?' meddai Harold. 'Beth yn y byd yw'r rheini?'

'Fe glywch chi ddigon o sôn amdanon ni cyn bo hir,' meddai'r dyn mawr. 'Clymwch nhw!' gwaeddodd yn sydyn ar y lleill.

Am y tro cyntaf sylwodd Tomos Wiliam fod gan rai o'r Merched raffau am eu canol. Yn rhyfedd iawn, doedd John Mansel ddim wedi dweud yr un gair ers amser. Roedd e'n sefyll yno a'i wyneb yn welw fel corff oni bai am y llinyn o waed oedd yn dal i redeg i lawr o'i geg dros ei ên. Ond pan oedden nhw'n ei glymu roedd ei lygaid milain ar Tomos Wiliam, a hwnnw'n gwybod wrth yr olwg yn y llygaid oeraidd y byddai John Mansel wedi'i ladd y funud honno tase fe wedi cael cyfle.

Yna roedd Merched Beca'n ei arwain e a'r dynion eraill allan o'r stafell fawr lle roedden nhw wedi bod yn yfed gwin ac yn 'i lordio hi bum munud ynghynt.

* * *

Safodd Tomos Wiliam, y Gwyddel a'r hen Ifan Puw ar eu traed drwy'r nos. Ar ôl i Ferched Beca fynd, ac ar ôl cloi'r porth mawr, roedden nhw'n benderfynol nad oedd yr un o ddihirod John Mansel yn mynd i ddod 'nôl eto. Felly roedden nhw wedi aros ar ddi-hun. Bore trannoeth, cyrhaeddodd cerbyd Hugh Williams borth y plas. Yn y cerbyd roedd y cyfreithiwr ei hun, Catrin, Gwen ac Arthur bach. Roedd rhyw lawenydd mawr yng nghalon Tomos Wiliam wrth agor y porth iddyn nhw.

Pan ddaeth Gwen allan o'r cerbyd a cherdded i fyny'r grisiau at ddrws ffrynt y plas a'r bychan yn ei chôl, roedd Ruth yn sefyll yno'n eu disgwyl. Roedd ei hwyneb yn bictiwr. Roedd gwên fach yn chwarae o gwmpas ei hen wefusau, ac eto roedd y dagrau'n powlio i lawr dros y gruddiau rhychiog.

Cyn gynted ag y daeth Gwen i ben y grisiau estynnodd yr hen wraig ei breichiau tenau. Tynnodd Arthur i'w chôl a'i wasgu at ei chalon.

'Diolch i Dduw am gael byw i weld y diwrnod yma,' meddai. Yna gan edrych ar y lleill, oedd erbyn hyn wedi dod a sefyll o'i chwmpas, 'Dewch gyfeillion, rhaid i ni fod yn llawen gyda'n gilydd heddi – mae etifedd Dôl-y-brain wedi dod adre!' Yna trodd ar ei sawdl a mynd i mewn i'r plas a'r plentyn yn ei chôl. Aeth Gwen a Catrin a'r lleill ar ei hôl. Allai'r ddwy ddim brysio am eu bod nhw'n brysur yn edrych o'u cwmpas ar holl ryfeddodau Plas Dôl-y-brain. Doedden nhw erioed wedi gweld y fath ysblander yn eu bywyd – y stafelloedd gwych, y lluniau drud ar y waliau, a'r llestri! Roedd gan Catrin un neu ddwy hen jwg werthfawr, neu weddol werthfawr, yn yr Hafod, ond pan welodd hi rai o lestri'r plas, roedd hi'n methu dweud gair.

⋆ ⋆ ⋆

Yn ddiweddarach y bore hwnnw eisteddodd Hugh Williams y cyfreithiwr wrth y bwrdd yn y stafell lle roedd John Mansel a'i fab a'i ddynion wedi bod yn yfed a bwyta'r noson gynt. Yn eistedd o'i gwmpas nawr roedd Ruth, Tomos Wiliam, Catrin, Ifan, Gwen a'r Gwyddel.

'Rwy i wedi rhoi'r ffeithiau i'r Uchel Sirydd ddoe,' meddai Hugh Williams. 'Ac mae'n dda gen i ddweud 'i fod e wedi rhoi gwrandawiad teg i fi. Roedd e'n cytuno â fi – os gellid profi popeth yn bendant – na fyddai eisiau i'r achos gymryd fawr ddim o amser. Roedd e o'r farn fod angen dod ag achos cyfreithiol yn erbyn y ddau Fansel os oedden nhw wedi gwerthu rhai o drysorau'r plas. Ond cyn i mi adael fe ddywedodd y byddai'n synnu os byddai'r un o'r ddau'n dangos eu pig o gwmpas Caerfyrddin am amser hir!' Pesychodd.

'Mae'n ymddangos felly na fydd neb yn debyg o amau hawl y plentyn i'r stad wedi'r cyfan. A'r cwestiwn sy'n codi nawr yw pwy sy'n mynd i redeg y lle anferth yma nes bydd e wedi tyfu'n ddigon o ddyn i wneud hynny 'i hunan?'

Edrychodd pawb yn syn arno. Doedd yr un ohonyn nhw wedi meddwl am y broblem yma o gwbwl. Aeth y cyfreithiwr yn ei flaen.

'Fe fydd yn rhaid cael rhywun yn stiward ar y stad 'ma – rhywun i ofalu am brynu a gwerthu a gofalu bod y gweision a'r crefftwyr yn gwneud 'u gwaith yn iawn, ac yn y blaen. Fe fydd yn rhaid cael rhywun da iawn i wneud y gwaith yma. Mae stiward gwael neu un anonest yn gallu gwneud niwed mawr. Pwy, yn eich barn chi, ddylai gael y swydd bwysig 'ma yn Nôl-y-brain, nes i'r plentyn ddod i oed?'

Roedd pawb yn fud.

'Wel,' meddai ymhen tipyn, 'rwy'n mynd i awgrymu mai ei berthynas agosaf ddylai gymryd gofal o'r stad.'

Am foment edrychodd pawb mewn penbleth arno. 'Y . . . Patrick?' gofynnodd Gwen.

'Ie. Mae e'n ewyrth i'r bachgen bach, mae e'n ddyn ifanc sy wedi bod yn berchen tir yn Iwerddon, ac mae e eisoes wedi helpu'r plentyn pan oedd hi'n galed arno.'

'Rwy'n cytuno'n llwyr â chi, Mr Williams,' meddai Ruth. 'Rwy'n 'i adnabod e'n ddigon da i wybod na fydd Dôl-y-brain ddim yn cael dim cam gydag e.'

Edrychodd pawb ar y Gwyddel ifanc. 'Wel, beth amdani?' gofynnodd Hugh Williams.

'Wel,' meddai Patrick, 'does dim yn Iwerddon yn 'y ngalw i adre. Mae'n teulu ni wedi colli'r tir a phopeth i'r Saeson.'

'Dyna hwnna wedi 'i setlo 'te,' meddai'r cyfreithiwr. 'Fe fydd ewyrth Arthur yn rhedeg y stad nes daw e'n ddigon hen. A nawr mae'r cwestiwn yn codi – pwy sy'n mynd i ofalu am y plentyn 'i hunan?'

'Ruth,' meddai Tomos Wiliam. Ysgydwodd yr hen wraig ei phen.

'Na, mae baich y blynyddoedd yn rhy drwm arna i bellach i fagu plentyn. Beth amdanoch chi, 'merch i?' meddai gan droi at Gwen.

'Fi?' gofynnodd Gwen yn syn.

'Mae'r plentyn bach yn hapus iawn gyda chi, rwy i wedi sylwi,' meddai Ruth wedyn.

'Ydy mae e,' cytunodd Hugh Williams, gan wenu arni. 'Beth amdani?'

'Fi? Byw 'ma, y'ch chi'n feddwl? O na, fe fydd yn rhaid i fi gadw tŷ i 'Nhad . . .'

Roedd yna ddistawrwydd o gwmpas y bwrdd am dipyn. Yna dyma Patrick yn dweud, 'Wel, Gwen, os y'ch chi'n gwrthod cymryd gofal o Arthur, rwy'n ofni y bydd rhaid i finne ailfeddwl ynglŷn â chymryd gofal o'r stad. Fedra i ddim gofalu am y lle a'r plentyn!'

Yna, er syndod i bawb, dyma'r hen Ifan yn rhoi ei big i mewn.

'Roeddet ti, Tomos, yn arddwr 'ma ryw bythefnos yn ôl, on'd oeddet ti?'

'Oeddwn ond . . .'

'Wel 'te.'

'Wrth gwrs!' meddai'r cyfreithiwr, gan daro'r bwrdd â'i ddwrn. 'Dyna'r union ateb! Tomos Wiliam yn derbyn swydd garddwr y plas, a'i ferch, Gwen, yn gofalu am y plentyn – ac amdano fe!'

'Ond . . .' meddai Gwen. Estynnodd y Gwyddel

ei law ar hyd y bwrdd a chydio yn ei llaw a'i gwasgu. Edrychodd Gwen arno a gwridodd. Ond roedd gwên fach yn chwarae o gwmpas ei gwefusau serch hynny. Digwyddodd Tomos Wiliam weld y llaw yn symud ar hyd y bwrdd, ac yn cydio yn llaw ei ferch. Gwelodd hefyd y wên ar wyneb tlws Gwen, ac er iddo feddwl dweud ei fod am drio'i lwc yn y gweithfeydd glo, yr hyn a ddywedodd oedd, 'Rwy'n meddwl, Mr Williams, na fyddai dim yn well gen i na bod yn arddwr ym mhlas Dol-y-brain.'

* * *

Nos trannoeth roedd yr hen Robin yn tynnu cart yr Hafod yn araf i fyny'r lôn at yr hen ffermdy ar lethrau'r Frenni Fawr.

'Cofia di, Ifan,' meddai Catrin, 'dwi ddim yn siŵr am y Gwyddel ifanc 'na. Un go wyllt yw e, cofia.'

'Catrin fach, welest ti ddim mo'r olwg yn llyged y ddou? Maen nhw mewn cariad, ferch. A pheth arall – coelia di fi, mae gan Gwen ddigon o synnwyr cyffredin i'r ddou ohonyn nhw. Ji-yp, Robin bach!'